Masters *of* Uncertainty

Masters *of* Uncertainty

Risk-Management Strategies for Transformational Leadership

Risiko-Management Strategien für Transformationale Führung

R A I N E R P E T E K

i.e.

To all the leaders, who are sensing doubts
and insecurity on their quest for ways to a
splendid future: don´t worry, you´re just in
contact with reality. This book is for you and
about the joy, the meaning and the fulfilment that
you will find by leading through uncertainty.

Für alle Leader, die auf ihrer Suche nach
Wegen in eine großartige Zukunft Zweifel und
Unsicherheit verspüren: kein Grund zur Sorge,
Sie sind nur in Kontakt mit der Realität. Dieses
Buch ist für Sie und handelt von der Freude,
dem Sinn und der Erfüllung, die Sie finden
werden, wenn Sie durch das Ungewisse führen.

Um Zugang zu den Bonusseiten und Rainer´s persönlichem Geschenk an Sie zu erhalten, scannen Sie bitte den QR-Code ein oder folgen Sie dem Link: https://rainerpetek.de/bonus-pages

To access bonus pages and Rainer's personal gift to you, please scan the QR-code or follow the link: https://rainerpetek.com/bonus-pages

Vorwort

Im Jahr 2020 begegnen wir neuen und beispiellosen Graden der Ungewissheit. Eines der größten Probleme dabei ist, diese Ungewissheit als ein Schreckgespenst zu sehen. Ungewissheit ist keine Gefahr, sondern eine Einladung: die Einladung unserer Zukunft gemeinsam etwas Großartiges aus ihr zu machen. Dazu braucht es eine Gestaltungsleistung namens Leadership.

Diese Gestaltungsleistung findet in einem Raum statt, der sich der hundertprozentigen Vorhersagbarkeit und Vorherbestimmbarkeit entzieht. Leadership ist die Kraft von Einzelnen und Gemeinschaften in diesem Raum trotzdem eigene Vorstellungen von einer besseren Zukunft zu verwirklichen und sich gleichzeitig kontinuierlich an Veränderungen anzupassen sowie unvorhersehbare Überraschungen zu meistern. Dazu braucht es auf breiter Basis ein neues Verständnis von Zusammenarbeit und Führung.

Dieses Buch will dazu kein simples Modell liefern, sondern den notwendigen vielschichtigen Wandel mit kraftvollen und facettenreichen Impulsen inspirieren. Wir brauchen Masters of Uncertainty.

Preface

In 2020, we are facing new and unprecedented levels of uncertainty. One of the biggest problems is to see this uncertainty as a spectre. Uncertainty is not a danger, it is an invitation: the invitation to make something great of our future together. This requires a creative act called leadership.

This creative act takes place in a space that cannot be one hundred percent predicted or determined in advance. Nevertheless leadership is the power of individuals and communities to realize their own ideas of a better future in this space, while at the same time continuously adapting to changes and mastering unforeseeable surprises. This requires a new understanding of collaboration and leadership on a broad basis.

This book is not intended to provide a simple model for a new concept, but to inspire the necessary multi-layered change with powerful and multi-faceted impulses. We need Masters of Uncertainty.

HARTE UMSTÄNDE
HARDSHIPS

Gerade jetzt!

In einer Nacht Mitte Juli 1984 habe ich einige entscheidende Dinge für den Umgang mit herausfordernden Situationen gelernt. Mein Kletterpartner Sepp Bierbaumer und ich hatten uns schon zwei Tage lang durch die völlig vereiste Nordwand der Grandes Jorasses nach oben gekämpft. Statt jedoch wie geplant am Gipfel zu stehen, waren wir noch 200 Meter tiefer in der Wand und hatten den berüchtigten Roten Kamin als eine der Schlüsselpassagen noch vor uns. So wurde ein zusätzliches, ungeplantes Biwak notwendig.

Mund und Hals waren so trocken und pelzig, dass auch das mühsam mit dem Gaskocher aus Eis und Schnee gewonnene bisschen Wasser nicht mehr wirklich etwas ausrichten konnte. Wir warfen ein Dreiviertel Kilo Brot aus der Wand, weil es auch nach ausgiebigerem Kauen einfach nicht mehr nach unten rutschen wollte, wir es aber nicht weiter mitschleppen wollten. Zum Biwakieren blieb uns ein schmaler Felssims, auf dem wir beide saßen. Unter den frei nach unten baumelnden Beinen ein 1.000 Meter hoher Abgrund.

Vollkommen automatisch kommen Dir in so einer Situation finstere Gedanken in den Sinn wie: Wie sehen zwei Körper aus, wenn sie 1.000 Meter nach unten stürzen? In welcher Gletscherspalte würden wir in so einem Fall verschwinden? Was, wenn das Wetter umschlägt und wir weder nach oben, noch nach unten kommen? Gleichzeitig merkten wir, wie uns diese Gedanken und Gespräche begannen, Energie und Selbstvertrauen zu rauben.

Irgendwie intuitiv veränderten wir unseren Blickwinkel und damit unsere Gespräche: Die 1.000 Meter Frischluft unter uns waren ja eigentlich gar nicht Abgrund, sondern gewonnene Höhe. Noch niemand war in diesem Sommer in dieser Wand so hoch gekommen. Wir gingen in Gedanken und Gespräch noch einmal alle Passagen durch und führten uns vor Augen, mit welchen Fähigkeiten und Stärken wir das gemeinsam geschafft hatten. Energie und Selbstvertrauen kamen zurück und wir gingen gestärkt aus dieser unglaublich fordernden und nicht enden wollenden Nacht hervor.

Am Tag darauf kletterten wir die noch fehlenden 200 Meter durch die Wand und erreichten gegen Mittag den Gipfel. Als erste Seilschaft, die die Nordwand der Grandes Jorasses in diesem Sommer geschafft hatte.

Was ich in dieser Nacht gelernt habe:
- Je länger Du Dich mit dem Abgrund beschäftigst, desto mehr Macht gewinnt er über Dich. Beschäftige Dich mit dem, was Du erreichen willst.
- Richte Deinen Fokus auf Dinge und Aktivitäten, die Dich gestärkt aus dieser schwierigen Situation hervorgehen lassen werden.

Leader: Beschäftige Dich gerade in Krisensituationen nicht mit dem möglichen Abgrund-Szenario, sondern stärke Vertrauen, Zuversicht und den Bewältigungsglauben – zuerst bei Dir selbst und dann bei Deinem Team. Nutze die Zeit weise: Investiere in Aktivitäten, die Dich gestärkt aus der Krise hervorgehen lassen.

Warum nicht eine Downtime in der Fertigung, im Einkauf, im Marketing … zur gemeinsamen Reflexion nutzen, um Prozesse oder generell die Zusammenarbeit neu zu organisieren?

Warum nicht endlich größere oder kleinere Digitalisierungs-Vorhaben realisieren, von denen bis dato immer nur geredet wurde?

Warum nicht gerade jetzt strategisch investieren, anstatt in der Schockstarre zu verharren?

Es gibt so viele Dinge, die in Krisen „gerade jetzt" sinnvoll getan werden können. Gerade jetzt ist die Zeit dazu, gerade jetzt besteht die große Chance.

▲ *Biwak in der Grandes Jorasses Nordwand, Walker-Pfeiler, 1984*

Grandes Jorasses Nordwand, Walker-Pfeiler

Right now!

One night in mid-July 1984 I learned some crucial things for dealing with challenging situations. My climbing partner Sepp (Joe) Bierbaumer and I had already spent two days struggling up the completely iced-up north face of the Grandes Jorasses. However, instead of standing at the summit as planned, we were still 200 meters (656 feet) lower down the wall, with the infamous Red Chimney, one of the cruxes, still ahead of us. Hence, an additional, unplanned bivouac became necessary.

Our mouths and throats were so dry and furry that even the little bit of water that we laboriously extracted from ice and snow with the gas stove could not really do anything. We threw three-quarters of a kilo (almost two pounds) of bread off the wall, because even after thorough chewing it simply wouldn't slide down and we didn't want to drag it along anymore. The narrow ledge on which we were both sitting was all we had to bivouac. Beneath our freely dangling legs lay an abyss of more than 1,000 meters (3,000 feet).

In such a situation, dark thoughts prevail automatically, like: What do two bodies look like when they fall 1,000 meters (3,000 feet)? In which crevasse would we disappear then? What if the weather changes and we can go neither up nor down? At the same time, we noticed how these thoughts and conversations started to rob us of energy and self-confidence.

Somehow intuitively, we changed our perspective, and with it our conversations: We decided that the 1,000 meters (3,000 feet) of fresh air below us was not really an abyss, but rather a height gain. No one had ever climbed so high up this wall that summer. In our thoughts and conversations we went through all the passages again and became aware of the skills and strengths with which we had achieved them together. Our energy and self-confidence came back and we emerged strengthened from this incredibly demanding and never-ending night.

The next day we climbed the remaining 200 meters (656 feet) up the wall and reached the summit at noon. We were the first rope team to reach the north face of the Grandes Jorasses that summer.

This is what I learned that night:

> The longer you deal with the abyss, the more power it gains over you. Just deal with what you want to achieve.

> Focus on things and activities that will make you emerge stronger from this difficult situation.

To you, leader: In situations of crisis, don't occupy yourself with the possible abyss scenario, but strengthen your trust, confidence and belief that you can handle it – first within yourself and then within your team. Use your time wisely: Invest in activities that will allow you to emerge stronger from the crisis.

Why not invest strategically now, instead of remaining in a state of shock?

Why not use a downtime in production, purchasing, marketing … for joint reflection on how to reorganize your processes or cooperation in general?

Why not finally make a start on digitization projects – small or large – which have only been talked about until now?

There are so many useful things that can be done "right now".
Right now is the time to do them; right now is the great opportunity.

Ballast abwerfen

*Das also ist die berühmte Stelle in der Direkten Nordwand der Großen Zinne.
Und wir sind am point of no return angelangt: am Beginn jenes berüchtigten
Quergangs, der zwei Welten trennt. Die Ausgesetztheit des Ortes und die Wucht
der Szenerie übertrifft alles, was ich bis dahin erlebt hatte: unter unseren Sohlen
250 Meter Luft, eine leicht überhängende, nahezu grifflose Wand. Die Tiefe
saugt förmlich an uns. Über uns bedrohliche Überhänge. Uns wird schlagartig
klar: Das ist der Moment der Wahrheit und wir müssen entscheiden, ob wir
glauben, der Route gewachsen zu sein, und ob wir weiterklettern oder eben
nicht. Von dieser Stelle kann man relativ unschwierig durch Abseilen wieder
auf den sicheren Boden zurückkehren. Klettert man jedoch weiter, zuerst
den Quergang hinüber 30 Meter nach links und dann wieder gerade hinauf
Richtung Gipfel und damit rein in die großen Überhänge, sind sowohl ein
Rückzug nach unten als auch fremde Hilfe von oben nahezu ausgeschlossen.
Dann gibt es nur noch eins: Die Seilschaft muss es selbst nach oben schaffen.*

Mein Kletterpartner Peter Gasser und ich hatten im Sommer 1984 ordentlichen Respekt vor dieser Wand gehabt und deswegen auf Nummer sicher geplant. Wir hatten von Hänge-Biwaks namhafter Seilschaften in dieser Wand gehört. Wir beschlossen also, vor allem auch in Anbetracht der Gipfelhöhe von fast 3.000 Metern, nicht nur das einzupacken, was wir sonst immer dabeihatten, sondern von allem ein bisschen mehr: Reserveausrüstung, Reservebekleidung, Biwak-zeug etc. Wir hatten uns gedacht „viel hilft viel": Auf diese Art und Weise bekam der Rucksack ein ordent-liches Gewicht.

An diesem point of no return waren wir nicht nur schon total erschöpft und ausgelaugt, sondern auch bereits zwei Stunden hinter unserem Zeitplan. Ange-sichts dieser Tatsachen war für uns damals klar, dass ein geordneter Rückzug vermutlich das vernünftigste in dieser Situation sein würde und daher begannen wir alles für den sicheren Abstieg durch Abseilen vorzubereiten.

Plötzlich vernehmen wir Steinschlaggeräusche von oben. Instinktiv ducken wir uns sofort zur Wand, um augenblicklich festzustellen: Die Steine fliegen fünfzehn Meter entfernt durch die Luft nach unten. Völlig unge-fährlich für uns, wegen der großen Überhänge über uns.

Der Vorfall reißt uns unmittelbar aus unserer Rück-zugs-Gedankenspirale heraus und ich lehne mich doch noch einmal weit aus der Wand hinaus, um mir den möglichen Weiterweg anzuschauen. Klar, der weitere Routenverlauf sieht extrem schwierig und überhängend aus, aber man kann durchaus Risse, Griffe und Tritte

erkennen. Das Ganze schaut eigentlich kletterbar aus – wenn nur der schwere Rucksack nicht wäre. Plötzlich wird mir klar: unser Problem hier sind nicht die Kletterschwierigkeiten an sich, sondern das Gewicht des Rucksacks! Ich wende mich zu Peter und frage ihn: „Werfen wir den Rucksack aus der Wand?" „Warum nicht!" erwidert er, ein Grinsen in seiner Stimme vernehmbar. Wir nehmen nur das mit, was essentiell für den Erfolg sein würde: Die Turnschuhe für den Abstieg befestigen wir am Klettergurt, genauso die Trinkflasche und eine Fleece-Jacke. Die ganze Reserve-, Biwak- und Notfallausrüstung stopfen wir in den Rucksack und werfen ihn ab.

Ich kletterte anschließend den Quergang als Erster hinüber, Peter folgte nach. Ohne den Rucksack klet-terten wir als Seilschaft wie ausgewechselt. Was vorher eine echte Plackerei war, verwandelte sich durch diese Entscheidung in einen gemeinsamen rhythmischen Tanz in überhängendem Fels. Wir machten im oberen, viel schwierigeren Teil der Wand die verlorene Zeit aus dem unteren Wandteil wieder wett und erreichten den Gipfel wie geplant nach dreizehn Stunden Kletterzeit.

Beim Abstieg klingen die Erfahrungen beim Klet-tern und das atemberaubende Erlebnis in uns nach. Eigentlich haben wir nicht nur den Rucksack aus der Wand geworfen, denke ich mir, während ich absteige. Wir haben unsere Zweifel und falschen Vorstellungen abgeworfen.

Hin und wieder stellt uns das Leben vor Herausfor-derungen, die uns einen echten Entwicklungssprung abfordern. Sehr oft stehen wir uns dabei allerdings selbst im Weg und in den allermeisten Fällen merken wir das nicht einmal. Seit jenem denkwürdigen Klettertag im Sommer 1984 bin ich jedenfalls nicht nur ein glühender Verfechter leichter Rucksäcke, sondern ich stelle mir selbst und meinen Kunden immer wieder diese Fragen:

> ▸ Welche Abläufe und Strukturen sind komplizierter und schwerfälliger als nötig?
> ▸ Welche falschen Überzeugungen führen zu diesen komplizierten und schwerfälligen Abläufen und Strukturen?
> ▸ Welche falschen Vorstellungen von der vor uns liegenden Herausforderung machen uns das Leben schwer?
> ▸ Du weißt gar nicht mit wie wenig Du auskommen kannst und trotzdem großartige Dinge realisieren kannst.
> ▸ Welche Zweifel und Ängste führen zu „großen Rucksäcken"?
> ▸ Welche unbewussten Konzepte von Führung und Veränderung, von der Natur des Menschen und des Geschäfts generell erschweren uns die Arbeit und Zusammenarbeit?

Wann erschweren uns unbewusste Konzepte von Führung und Veränderung die Arbeit und Zusammenarbeit mehr als unbedingt nötig? Manchmal liegt die Antwort einfach in den zusätzlichen Steinen in unserem Rucksack: begrenzende Vorstellungen, die wir teilweise unhinterfragt von anderen übernommen haben, wie wir eine Sache angehen sollten.

Große Zinne, Direkte Nordwand, Hasse-Brandler Route, Dolomiten, Italien 1984 ▶

Shedding ballast

This is the famous spot in the Direct North Face of the Cima Grande. And we have arrived at the point of no return: the beginning of that infamous traverse that separates two worlds. The exposure of the place and the impact of the scenery surpasses anything I had experienced before: 820 feet of air under our soles, and a slightly overhanging wall beneath us, almost devoid of holds. The depth literally sucks at us. Above us there are threatening overhangs. It suddenly becomes clear to us: This is the moment of truth and we have to decide whether we think we are up to the route and whether we climb further, or not. From this point in our journey it is still relatively easy to abseil back to the safe ground. But if we climb further – first via the traverse 30 meters (100 feet) to the left and then straight up again towards the summit and thus into the large overhangs – a downward retreat and outside help from above are both almost impossible. Then there is only one thing left – the rope team has to make it to the top by itself.

My climbing partner Peter Gasser and I had had a lot of respect for this wall in the summer of 1984, so we planned to be on the safe side. We had heard of hanging bivouacs by well-known rope teams on this wall. So, we decided, especially in view of the summit height of almost 3,000 meters (over 9,800 feet), not to pack only what we usually carried with us, but a bit more of everything: spare equipment, spare clothing, bivouac gear etc. We thought, "a lot helps a lot." This way our rucksacks increased to a decent weight.

At this point of no return, not only were we already totally exhausted and worn out, we were already two hours behind our plan. In view of these facts, it was clear to us then that an orderly retreat would probably be the most *sensible* thing to do in this situation, and so we started to prepare everything for the safe descent by abseiling.

Suddenly, we hear the sound of falling rocks from above. We instinctively duck down to the wall, only to realize instantly that the rocks are flying fifteen meters (fifty feet) away through the air. Completely at a safe distance because of the large overhangs above us.

This incident immediately pulls us out of our retreat-focused spiral of thoughts and I lean out from the wall once more to survey the route ahead. Clearly, it looks extremely difficult and overhanging, but you can definitely see cracks, handholds and footholds. The whole thing actually looks climbable – but not with that extra heavy rucksack. I quickly realize that our problem here is not the climbing difficulties per se but the weight of the backpack! I turn and ask Peter: "Why don't we throw the backpack off the wall?" "Why not" he replies with a grin that I can hear in his voice.

We only take what would be essential for success: We attach the sneakers for the descent to the climbing harness, as well as the water bottle and a fleece jacket. We stuff all the reserve, bivouac and emergency equipment into the rucksack and throw it down.

I was the first to climb across the traverse; Peter followed. We felt like a different team climbing without the rucksack. What had previously been a real drudgery was transformed by this decision into a joint rhythmic dance in overhanging rock. In the upper part of the wall, which was much more difficult, we made up for the time lost in the lower part of the wall, and reached the summit as planned after thirteen hours of climbing.

On the descent, our climbing experience and breathtaking adventure echo in us. Actually, we didn't just throw our backpack off the wall, I think to myself as we descend. We threw off our doubts and misconceptions.

Every now and then life presents us with challenges that demand a real leap in development. Very often, however, we are our own worst enemies and, in most cases, we fail to even notice it. Since that memorable climbing day in the summer of 1984, I have not only been a fervent advocate of light rucksacks, but I love to ask these questions of myself, and my clients:

> ‣ Which processes and structures are more complicated and cumbersome than necessary?
> ‣ Which false convictions lead to these complicated and cumbersome processes and structures?
> ‣ Which wrong ideas about the challenge ahead of us make our lives difficult?
> ‣ You don't know how little you can get by with and still realize great things.

Große Zinne, Nordwand ▶

Leaders: What doubts and fears make up the extra weight in our rucksacks?

Den letzten Griff loslassen

_Ich klettere den Quergang als Erster hinüber, Peter folgt nach. Ohne den
Rucksack klettern wir als Seilschaft wie ausgewechselt. Was vorher eine echte
Plackerei war, verwandelt sich nun in einen gemeinsamen rhythmischen Tanz
in der Senkrechten. Zur Ästhetik der Kletterei kommt die unbeschreibliche
Szenerie. Die Welt scheint Kopf zu stehen. Als Peter die erste Seillänge in der
Riesenverschneidung hinter sich gebracht hat und das Seil einzuziehen beginnt, ist
er meinen Blicken entschwunden. Plötzlich erscheint das Rest-Seil – die Schlaufe,
die sich beim Einziehen bildet – aus den Überhängen und scheint waagrecht aus
der Wand zu wachsen. Ich bin mir einen Moment unsicher – optische Täuschung
oder Halluzination? Ich reibe mir die Augen. Nein, es wächst weiterhin auf
völlig unnatürliche Weise aus der Wand. Irgendwann verstehe ich die Welt
wieder. Das Seil markiert die Senkrechte. Ich habe vor lauter Überhängen nur
das Gefühl dafür verloren. Es ist unglaublich. Wir klettern zügig weiter._

War in den Jahren zuvor das Vorklettern immer eine echte Überwindung für mich gewesen, so merke ich jetzt, 1984, dass sich hier einiges deutlich verändert hat. Das winterliche Training in der Kraftkammer hat enorm viel gebracht, vor allem seit ich es mit einer Zehn-Kilo-Bleiweste betreibe. Ich bin in der Lage, auch kleinste Griffleisten im Fels zu fixieren und genieße es, meine Kraft und Klettertechnik beim Überwinden der senkrechten Wandstellen und Überhänge zu spüren.

Der Sommer 1984 markierte damals für mich einen markanten Entwicklungssprung als Kletterer in mehreren Dimensionen. Ich war damals nicht nur physisch stärker geworden, vor allem psychisch und mental hatte ich mich stark verbessert. Ich begann es regelrecht zu genießen an kleinen Unebenheiten in senkrechtem und überhängendem Fels im Vorstieg nach oben ins Ungewisse zu klettern. Im Vorstieg klettern bedeutet, nur auf das eigene Können vertrauend mit Seilsicherung von unten, unbekanntes Terrain in Angriff zu nehmen. Anders als im Nachstieg, wo bei sorgfältiger Sicherung der nachsteigende Kletterer maximal einen Meter in das Seil stürzen kann, klettert der Vorsteiger am scharfen Ende des Seils. Die jeweils mögliche Sturzhöhe beträgt immer das doppelte der ausgegangenen Seillänge über der letzten Zwischensicherung plus Seildehnung. Das bedeutet in der Praxis, dass wenn ein Vorsteiger fünf Meter über den letzten Haken hinaufklettert, die mögliche Sturzhöhe etwa 12 – 14 Meter beträgt. Um die großen Alpenwände in der gebotenen Zeit durchklettern zu können, musst Du mental und psychisch in der Lage sein, zwischendurch auch einmal 20 Meter über dem letzten Haken ruhig und sicher klettern zu können.

Mein persönlicher Schlüssel zu dieser Gelassenheit auch in herausfordernden Situationen war die mentale Gewöhnung an den Umstand, dass Du nur dann neuen Halt gewinnen kannst, wenn Du in der Lage bist, den aktuellen Haltegriff loszulassen. Schwierige Kletterpassagen sind meist Abschnitte mit durchgehend kleinen Griffen zwischen Punkten mit guten, großen Griffen, an welchen man zwischendurch rasten kann. Während die physische Herausforderung in den schwierigen Kletterpassagen größer ist, kommen an den Rastpunkten eher Zweifel und Ängste auf: Die mentale Herausforderung von einem Rastpunkt in die nächste schwierige Passage zu klettern besteht nicht darin sich an den nächsten kleinen Griffen hochzuziehen, sondern den soliden, guten Griff am Rastpunkt wieder loszulassen. Die neuen guten Griffe wirst Du nur dann erreichen, wenn Du immer wieder loslässt.

Viele Schwierigkeiten, Konflikte und Misserfolge im Business, in der Führung und Zusammenarbeit, aber auch generell im Leben, entstehen nur dadurch, dass sich Menschen viel zu lange am „letzten guten Griff" anklammern, anstatt loszulassen und das Neue in Angriff zu nehmen.

▲ *Große Zinne, Direkte Nordwand, Hasse-Brandler Route, Dolomiten, Italien 1984*

Letting go of the last handhold

I climb across the traverse passage first; Peter follows. Without the rucksack we climb as if we were a different team. What was previously a real drudgery is transformed into a joint rhythmic dance in the vertical. The indescribable scenery adds to the aesthetics of climbing. The world seems to stand on its head. Peter completes the first rope length in the giant dihedral and starts to pull the rope in, then disappears from sight. Suddenly the rest of the rope – the loop that is formed when the rope is pulled in – appears from the overhangs and seems to grow horizontally out of the wall. I am unsure for a moment – is it an optical illusion or a hallucination? I rub my eyes. No, it continues to grow out of the wall in a completely unnatural way. Suddenly I do understand the world again. The rope marks the vertical. I've just lost all sense of it because of all the overhangs. It's incredible. We climb on quickly.

While in the years before, climbing in the lead had always been a real challenge for me, in 1984, I realized that a lot had changed. The winter training in the weight room had been enormously successful, especially since I started using a ten-kilo (22 pound) lead vest. I was able to fix onto even the smallest handholds in the rock and enjoy feeling my strength and climbing technique when overcoming the vertical wall sections and overhangs.

The summer of 1984 marked a significant leap in my development as a climber in several dimensions. I had not only become physically stronger, but had also greatly improved mentally and psychologically. I began to really enjoy using small bumps on vertical and overhanging rock to lead climb up into the unknown. Climbing in the lead means, by trusting only in your own ability and being belayed from below, to tackle unknown terrain. Unlike the second climber, who can fall a maximum of one meter (three feet) into the rope if he is carefully secured, the leading climber climbs at the sharp end of the rope. The possible fall height is always twice the length of the rope above the previous

intermediate belay point plus rope stretch. In practice this means that if a leading climber ascends five meters (16 feet) above the last piton, their possible fall distance is about 12–14 meters (39–45 feet). To be able to climb the large alpine walls in the time required, you must be mentally and psychologically able to climb a stretch of up to 20 meters (65 feet) above the previous piton calmly and safely from time to time.

My personal key to this calmness even in challenging situations was mentally getting used to the fact that you can only gain a new hold if you are able to let go of the current hold. Difficult climbing passages are mostly sections with continuous small handholds between points with good, large handholds, where you can rest in between. While the physical challenge is greater in the difficult climbing passages, doubts and fears tend to arise at the resting points: The mental challenge of climbing from one resting point to the next difficult passage lies not in pulling yourself up by the next small handholds, but in letting go of the solid, good holds at the resting point. You will only reach the new, good holds if you let go again and again.

Große Zinne, Direkte Nordwand, Hasse-Brandler Route, Dolomiten, Italien ▶

Many difficulties, conflicts and failures in business, in leadership and cooperation, but also in life generally, only arise because people cling to the "last good handhold" for far too long instead of letting go and tackling the new.

Die Seilreibung reduzieren

Vorsichtig versuche ich mich an den kleinen Griffleisten nach links zu schieben. Ich blicke nervös zurück: eigentlich kann ich beruhigt sein, ich habe das Seil bisher fast jeden Meter in eine Zwischensicherung eingehängt. Wenn ich jetzt noch den nächsten Kletterzug schaffe, dann bin ich beim nächsten Haken und kann wieder eine Zwischensicherung machen. Dann kann mir nichts passieren. Also los! Dann merke ich jedoch dass ich nicht weiter komme. Was ist los? Hält Thomas mich am Seil zurück?

„Hey, Thomas! Ich brauch mehr Seil!"

Zur Antwort kommt: „Seil ist locker." Trotzdem zieht es mich zurück und nur mit allerletztem Kraftaufwand komme ich ein Stückchen weiter. Als ich beim nächsten Haken zum Einhängen das notwendige Seil mit der rechten Hand einziehen will, schaffe ich es nicht. Ich ziehe und zerre, solange bis ich merke, dass mir in der linken Hand die Kraft zum Festhalten ausgeht. Ich will keinen Sturz riskieren und klettere wieder zurück nach rechts zum letzten sicheren Haken.

Es geht nicht.

Rückzug.

Wir seilen ab.

Als Thomas mich am Seil zurück hinunterlässt, erkenne ich, dass ich es in alle Haken und noch dazu im Zick-Zack verlaufend eingehängt hatte, so dass das Seil irgendwann nicht mehr frei durch die Karabiner laufen konnte. Ich selbst hatte durch meine Art der Absicherung den Erfolg vereitelt.

Diese kurze Geschichte aus der Zeit meiner Kletteranfänge weist auf einen Zusammenhang hin, der in allen Bereichen des Lebens und des Geschäfts wirksam wird. Die herausfordernde Sache beim alpinen Felsklettern besteht darin, beim Führen (das bedeutet in erster Linie Vorsteigen oder Vorangehen) das Seil nach oben zu bringen. Das Kletterseil hat zwei Enden, und eines davon ist das „scharfe Ende". Als „scharf" bezeichnet man es, weil der Vorsteiger an diesem Seilende die Wand nach oben klettert. Dabei wird er zwar von unten gesichert, kann jedoch beim Vorsteigen auch wieder hinunterfallen, und das manchmal sogar ziemlich weit.

Die Höhe eines möglichen Sturzes hängt im Einzelfall von der Qualität und der Anzahl der Zwischensicherungen ab: Zwischensicherungen sind entweder vorhandene Haken, die andere Seilschaften in die Felsritzen geklopft und dort belassen haben, oder der Vorsteiger bringt selbst Sicherungen in Form von Haken oder Klemmkeilen an. Je weiter die Zwischensicherungen voneinander entfernt sind, desto gefährlicher wird das Klettern. Klettert ein Vorsteiger also beispielsweise in dreißig Metern Höhe sechs Meter über den letzten Haken hinaus, beträgt die mögliche Sturzhöhe zweimal sechs Meter – einmal die ersten sechs Meter zurück bis zum Haken, dann die zweiten sechs Meter am Haken vorbei bis das Seil sich spannt – plus etwa drei Meter für Seildehnung und Sturzbremsung. Das heißt, ein gefährlicher Fünfzehn-Meter-Sturz ist möglich, auch wenn ich nur sechs Meter vom Haken nach oben klettere.

Die logische Schlussfolgerung wäre in dieser Situation in möglichst kurzen Abständen Zwischensicherungen zu setzen, um die möglichen Sturzhöhen zu reduzieren. Die Sache hat allerdings, auch im sprichwörtlichen Sinne, mehrere Haken: zum einen wäre es notwendig Unmengen an Sicherungsausrüstung mitzunehmen. Nur um alle zwei Meter eine Zwischensicherung anbringen zu können, bräuchte es 30 bis 40 Karabiner, dazu Unmengen von Bandschlingen, Klemmkeilen, Haken etc. Alleine das Gewicht würde das Klettern nahezu unmöglich machen. Zum anderen käme noch ein Problem hinzu, mit dem vor allem Anfänger und weniger Erfahrene zu kämpfen haben: die Seilreibung. Mit jedem Einhängen des Seils in den Karabiner der Zwischensicherung entsteht Seilreibung. Diese vergrößert sich, je öfter das Seil – sehr oft aus persönlicher Unsicherheit auch noch in einem Zick-Zack-Verlauf – eingehängt wird. Die Konsequenz: nach spätestens 20 Metern kämpft der Kletterer mehr gegen

Abseilen im Wilden Kaiser, Tirol, Österreich, 1985 ▶

die Seilreibung, als gegen die Schwerkraft. Die Folge sind Schwerfälligkeit, Langsamkeit und sehr oft das anschließende Aufgeben des ursprünglichen Vorhabens, weil man so natürlich keine große alpine Wand schafft.

Ich beobachte in meiner Arbeit als Berater, dass in zahlreichen Firmen viel zu viel „unternehmerische Seilreibung" vorhanden ist. Diese haben schrittweise hinderliche Strukturen etabliert, weil zum Beispiel zu irgendeinem vergangenen Zeitpunkt ein Projekt nicht nach Plan verlief. Was dann eingeführt wird, ist logisch: ein „perfekter" alternativer Risikomanagementprozess im Unternehmen mit vielen kleinen Absicherungen für alle Eventualitäten. Damit solch ein Verlustprojekt in Zukunft nicht noch einmal passiert, wird der gerade geschehene Einzelfall aufs ganze Unternehmen, ja auf alle Mitarbeiter auf alle Zeit hin umgelegt. Das führte bei einem Unternehmen, das mich als Berater holte, jedoch lediglich dazu, dass kaum noch große Aufträge gewonnen werden konnten, weil die gewünschte 100%ige Sicherheit der Projekte in hohen Risikoaufschlägen verpreist wurde und das Unternehmen mit seinen Angebotspreisen nicht mehr wettbewerbsfähig war. Gerade in solchen Situationen geht es darum, Ihre Zwischensicherungen zu überprüfen: Welche davon sind tatsächlich sinnvoll und wo können Sie einige herausnehmen und Ihre „unternehmerische Seilreibung" reduzieren?

Schlüsselfrage:

Bedeutet das Streben nach 100% Sicherheit in einem Projekt gleichzeitig eine Erfolgs-Sabotage, weil dies mit dem Verlust von Wettbewerbsfähigkeit oder von praktischen Lösungen einhergeht?

Reducing rope friction

Carefully I try to slide myself to the left on the small handholds. Although I look back nervously, I am reassured, so far having hooked the rope into an intermediate belay almost every meter (three feet). If I manage the next move now, then I'll be at the next piton and can put in another intermediate belay. Then nothing can happen to me. So, let's go! Then I discover that I cannot get any further. What is going on? Is Thomas holding me back with the rope?

Überhang in den Cinque Torri, Dolomiten, Italien, 1984 ▶

"Hey, Thomas! I need more rope!"

"The rope is loose" he replies. I am drawn back and only with the very last bit of effort can I progress at all. When I want to pull in the necessary rope with my right hand at the next piton for clicking it in the next quickdraw, I don't make it. I pull and pull until I notice that I am running out of strength in my left hand to hold on. I don't want to risk a fall and climb back to the right to the last safe piton.

It does not work.

Retreat.

We rappel.

When Thomas lets me back down on the rope, I realize I had hooked it into all the pitons and also zigzagged, so that at some point the rope could no longer run freely through the carabiners. I had thwarted my own success by the way I over-secured myself.

This short story from a time when I was first beginning to climb highlights an interrelationship that exists in all areas of life and business. The challenging thing in alpine rock climbing is to bring the rope up *climbing while leading*. The climbing rope has two ends, one of which is the "sharp end". It is called "sharp" because it is at this end of the rope that the leader climbs up the wall. Even though he is being belayed from below, he can fall down again while climbing in the lead, and sometimes quite far.

The distance of a possible fall depends on the quality and the number of intermediate belays in each case. Intermediate belays are either pitons that other rope teams have knocked into the cracks in the rock and left there, or safety devices in the form of pitons or wedges that the climber himself attaches. The further apart the intermediate safety belays are, the more dangerous climbing becomes. For example, if a leader climbs six meters (twenty feet) above the last piton at a height of thirty meters (98 feet), the possible fall height is two times six meters (twenty feet) – the first six meters (twenty feet) back to the piton and then the second six meters (twenty feet) past the piton until the rope tensions – plus about three meters (ten feet) of rope stretch and fallbraking. This means that a dangerous fifteen-meter (49 foot) fall is possible, even if you climb up only six meters (twenty feet) from the piton.

The logical conclusion in such an instance would be to place intermediate safety belays at the *shortest* possible intervals to reduce the possible fall distances. However, there is a catch. On the one hand, it would be necessary to take a huge amount of safety equipment with you. *Just to be able to attach an intermediate safety belay every two meters (seven feet) would require 30 to 40 carabiners, plus tons of slings, wedges, pitons, etc.* The weight alone would make climbing almost impossible. There would be another problem – one that mainly beginners and less experienced climbers have to struggle with – and that is rope friction. Every time the rope is hooked into the carabiner of the intermediate belay, rope friction occurs. This increases the more often the rope is hooked in – very often in a zig-zag pattern due to personal insecurity. The consequence of this is that by, at most, 20 meters (66 feet), the climber fights more against rope friction than against gravity. This results in slowing down, subsequent inertia and very often the abandonment of the original plan, because this is not the way to master a large alpine wall.

In my work as a consultant, I observe that there is far too much "entrepreneurial rope friction" in many companies. These are ones who have gradually established hindering structures because, for example, at some point in the past a project did not go according to plan. What is then introduced in the company, as is logical, is an alternative "perfect" risk management process with too many small safeguards to cover all eventualities.

To prevent such a loss-making project from happening again in the future, that one recent case is then applied to the entire company, indeed to all employees for all time. At one company that I was called in to work with, this only led to the fact that it was now able to procure hardly any large orders because the desired 100% security of the projects was priced into high risk surcharges, which meant the company was no longer competitive with its offer prices.

It is important to check your risk management guidelines and all the other "safety practices" in your company. Which of these are actually useful and where can you take some out and thereby reduce your "entrepreneurial rope friction"?

Key question:
Does the striving for 100% security or surety of a project mean you are sabotaging your success because it is associated with a loss of competitiveness or practical solutions?

Wesentlich Nebenprodukt

Ich will hier rauf und zwar direkt! Nur wenige Meter über mir sehe ich den nächsten Standplatz. Was mich davon trennt, ist eine acht Meter hohe, senkrechte und nahezu grifflose Felsplatte. Das muss doch irgendwie gehen. Immer wieder versuche ich mit der rechten Hand den guten Griff eng angewinkelt zu blockieren, um mit der Linken maximal hoch hinaufzulangen zu können. Aber ich finde einfach keinen Griff für die linke Hand, der groß genug wäre, um den nächsten Zug zu machen. Das kann doch nicht sein! Ich probiere es immer und immer wieder. Bis ich merke, dass ich müde werde. So kurz vor dem Ziel aufgeben? „Probiere es etwas weiter links!“, höre ich die Stimme von Thomas, der mich am unteren Standplatz sichert. „Nein,“ sage ich, „ich bin schon ziemlich ausgelaugt.“ Doch Thomas pusht mich wieder: „Doch, probier’s noch einmal! Links schaut machbar aus, Du packst das!“ Okay, ein Versuch noch. Ich beginne damit, mich mit einem Spreizschritt nach links zu bewegen. Das funktioniert. Hey, da sind ja doch Griffe! Noch ein kleiner Schritt weiter nach links und ich bekomme mit der Hand eine Schuppe zu fassen, die von meiner Anfangsposition aus nicht sichtbar war. An dieser kann ich mich nach oben arbeiten und plötzlich wieder nach rechts zurück in die Platte spreizen, die von unten unmöglich zu bewältigen schien. Hier sind ja doch wieder genügend Griffe und Tritte. Alles löst sich auf einmal wunderbar und elegant. Nach einigen phantastischen Kletterstellen bin ich oben am nächsten Standplatz. Wozu eigentlich der ganze Stress und die ganze Anstrengung? Ich hätte es gleich über den Umweg nach links versuchen sollen.

Manchmal ist der Umweg die schnellste Verbindung zum Ziel und manche Dinge lassen sich nicht direkt erreichen.

Ein besonderer Teamgeist, ein außergewöhnlicher Spirit ist für herausragende Erfolge in Unternehmen unerlässlich. Gleichzeitig lässt sich dieser nicht so einfach (im Sinne einer Produktionslogik) „herstellen". So sehr Sie diesen Teamgeist für herausragende Ergebnisse brauchen: Sie können ihn nicht mit Garantie herbeiführen. Denn es gibt Zustände, die „wesentlich Nebenprodukt" sind. So nennt sie Jon Elster in seinem faszinierenden Buch „Die Subversion der Rationalität". Es gibt Dinge, die gerade dann unerreichbar sind, wenn Sie versuchen, sie gezielt anzusteuern.

Wenn Sie beispielsweise um jeden Preis versuchen, einzuschlafen, werden Sie eines sicher nicht tun: einschlafen. Wenn Sie sich fest vornehmen, genau heute ab 20:00h einen sensationell lustigen Abend zu verbringen, wird er wahrscheinlich eher durchschnittlich lustig. Wie er wird, hängt nämlich von diversen Zutaten ab – von den Menschen, die Ihnen begegnen, von der Musik, die aufgelegt wird, von Ihrer Stimmung in dem Moment und von der Stimmung Ihrer Begleiter. Bestellen können Sie das alles nicht.

Manche Dinge muss man einfach entstehen lassen. Sie sind eine Folge von anderen Umständen, die verschwinden, wenn wir sie unbedingt haben wollen.

Im Business ist neben Teamgeist das Vertrauen ein solcher Zustand.

Stellen Sie sich vor, Sie sagen Ihrer Einkaufsmanagerin: „Liebe Frau Borowski, ich möchte morgen bis 18 Uhr eine gute Vertrauensbasis mit Ihnen haben!" Ich nehme an, Sie müssten selbst schmunzeln. Und Frau Borowski würde sich ihre Gedanken machen. Vertrauen würde dabei aber am wenigsten entstehen. Sie würde eher misstrauisch werden: „Wofür denn?"

würde sie gern wissen. Vertrauen entsteht nicht durch Vorsatz. Im Gegenteil. Durch instrumentelle Absicht zieht sich Vertrauen immer weiter zurück. Vertrauen entsteht durch Verlässlichkeit, durch gehaltene Vereinbarungen, durch die Erfahrung, dass meine Verletzlichkeit in bestimmten Aspekten nicht zu meinem Nachteil genutzt wurde. Aber nicht durch den Vorsatz, ein Vertrauensverhältnis aufzubauen.

Wenn zum Beispiel das Team überraschend einen Großauftrag geholt hat, ist die erste Emotion Stolz, Dankbarkeit und vielleicht Freude bei dem Gedanken, dass alle mitgezogen haben. Der nächste Impuls ist häufig die Frage nach der Reproduzierbarkeit: Wie können wir einen solchen Erfolg wiederholen? Wie können wir ihn bewusst und absichtlich hervorrufen?

Meine Empfehlung ist: Versuchen Sie es mit einem Umweg. Analysieren Sie den Kontext. Fragen Sie sich nach der Analyse: Welche Konstellationen und Rahmenbedingungen erhöhen die Wahrscheinlichkeit für einen erneuten Teamerfolg? Aber verabschieden Sie sich von der Vorstellung der einfachen Reproduzierbarkeit. Denn herausragende Erfolge entstehen nicht auf Knopfdruck. Sie gehören zu den Dingen, die sich nicht willentlich gestalten und beeinflussen lassen, die sehr einen oder mehrere Umwege erfordern. Die einzige Haltung, die hier wirklich angebracht ist, ist dankbar zu sein, wenn's wieder klappt.

Die Schlüssel-Frage:
Welche „Umwege", welches Gesamtgefüge aus Rahmenbedingungen, Strukturen, Verhalten, sozialen Prozessen und Interaktionen erhöhen die Wahrscheinlichkeit, dass innerhalb eines Teams Vertrauen entsteht?

Essentially by-product

"I want to go up here and right now!"
Only a few feet above me I see the next belay station. What separates me from
it is an eight meter (26 foot) vertical rock slab almost entirely lacking handholds.
There must be some way to do it. Again and again I try to lock onto the good
handhold with my right hand at a tight angle to be able to reach up as high as
possible with my left. But I just can't find a handhold for the left hand that would
be big enough to make the next move. That's just not possible! I try it over and over
again. I realize that I'm getting tired. Should I give up so close to the finish line?
"Try a little more to the left!" I hear the voice of
Thomas, who is belaying me from the bottom.
"No," I say, "I'm already pretty worn out."
But Thomas pushes me again: "Come on, try it again!
On the left it looks doable, you can do it!"
Okay, one more try. I'm going to start by taking a split step to the left. That
works. Hey, there are holds here after all! Another small step to the left and I get
my hand on a flake that was not visible from my starting position. On this one I
can work my way up and suddenly spread to the right, back into the slab which
seemed impossible to negotiate from below. Here there are enough handholds and
footholds again. All at once, everything resolves itself wonderfully and elegantly.
After some fantastic climbing spots, I am finally up at the next belay station.
Why all this stress and effort? I should have tried
that detour to the left in the first instance.

◄ *Kurz vor dem Gipfel, Mont Blanc du Tacul, Frankreich, 1993*

43

Sometimes a detour is the quickest way to the destination, and some things can't be reached directly.

A special team spirit, an extraordinary esprit de corps, is essential for outstanding success in companies. At the same time, this cannot be "produced" so easily (in the sense of a production rationale). As much as you need this team spirit for outstanding results, achieving it is not guaranteed, because there are conditions that are *essentially by-products*. This is what Jon Elster calls them in his fascinating book *Sour Grapes: Studies in the Subversion of Reality*. There are things that are unattainable precisely when you try to target them.

For example, if you try to fall asleep at all costs, there is one thing you will certainly not do: fall asleep. If you are determined to spend a sensationally funny evening today from 8 p.m., it will probably be rather averagely funny. How it will turn out depends on various ingredients – the people you meet, the music chosen, your mood at that moment and the mood of your companions. *You can't simply order all that.*

Some things you just have to let happen. They are a consequence of other circumstances that disappear when we really want them.

In business, besides team spirit, trust is one such state.

Imagine telling your purchasing manager: *"Dear Mrs. Borowski, I would like to have a good basis of trust with you tomorrow by 6 p.m.!"* I suppose you'd have to smirk to yourself. And Mrs. Borowski would have her thoughts. But trust would be the least of your worries. She would be more suspicious: "What for?" she would be wanting to know.

Trust does not come from intent. On the contrary. With instrumental intention trust retreats even further. Trust is created through reliability. Through agreements that are kept. Through the experience that my vulnerability in certain aspects has not been used to my disadvantage. But not through the *intention* to build a relationship of trust.

For example, when the team has unexpectedly won a major contract, the first emotion is pride, gratitude and perhaps joy at the thought that everyone has pulled together. The next impulse is often the question of reproducibility: How can we repeat such a success? How can we generate it consciously and intentionally?

My recommendation is to try a detour. Analyze the context. Ask yourself after the analysis: Which constellations and parameters increase the probability of renewed team success? But say goodbye to the idea of simple reproducibility, because outstanding success does not come about at the push of a button. It is one of those things that cannot be deliberately shaped and influenced, and that require one or more detours. The only attitude that is really appropriate here is to be grateful when things work out again.

The key question:
Which "detours", which overall structure
of framework conditions, behaviors,
social processes and interactions
increase the probability that trust
will emerge within a team?

Sometimes a detour is the quickest way to the destination,
and some things can't be reached directly

NEUANFÄNGE
NEW BEGINNINGS

Die eigene Route gehen

Ein strahlend sonniger Wintermorgen, kristallklar und kalt. Prächtige Bedingungen für unsere geplante Skitour. Über Nacht hat es geschneit und die Landschaft liegt wie eine unberührte weiße Fläche vor uns. Weit und breit ist keine einzige Spur zu sehen, nicht mal die eines Tieres. Außer uns machen sich hier am Ausgangspunkt noch drei weitere Gruppen für den Aufstieg fertig. Eigentlich waren die anderen vor uns da und könnten längst starten. Doch sie schauen nur zweifelnd und ratlos in die Landschaft. Der Grund ihres Zögern steht ihnen ins Gesicht geschrieben: Wo geht es jetzt lang? Welchen Weg sollen wir nehmen? Keiner will sich anscheinend aufmachen, die erste Spur zu legen. Alle warten ab. Denn wir wissen alle, dass es ist nicht nur anstrengend ist, sondern auch eine gewisse Erfahrung braucht, hier voranzugehen. Also gut, dann mache ich doch gerne den Anfang. Als ich mit meiner Gruppe losgehe, spürt man regelrecht die Erleichterung der anderen. Sie folgen uns zügig. Keiner weicht mehr von unserem Weg ab. Niemand legt eine andere Spur. Keiner stellt infrage, ob das die beste Route oder die beste Vorgehensweise ist. Und das obwohl ich heute nicht einmal mein Bergführerabzeichen am Anorak trage. Meine spontane „Gefolgschaft" hat keine Ahnung, ob ich mich überhaupt auskenne …

Dieses Verhalten habe ich oft am Berg erlebt. Vor allem bei Skitouren in einer unberührten Tiefschneelandschaft ohne bestehende Spuren. Sobald sich die Ersten aufmachen, läuft ihnen der übrige Tross ohne zu zögern hinterher. Doch warum ist das so?

Ob in der Freizeit oder im Beruf – unser Verhalten wird von einem Bedürfnis nachhaltig geprägt und beeinflusst: dem Bedürfnis nach Sicherheit. Wenn wir uns in ein Feld begeben, in dem wir uns unsicher fühlen, suchen wir Anhaltspunkte, die uns ein vertrautes Gefühl des Aufgehobenseins und des überschaubaren Risikos vermitteln. Das ist eine natürliche Tendenz, denn dieses Reaktionsschema haben wir von Kindesbeinen an eingeübt. Schon als Kinder haben wir uns das Verhalten der Erwachsenen ganz genau angeschaut und kopiert. So haben wir gelernt, den sicheren Weg zu beschreiten, den schon die Erwachsenen vor uns mit ihren Erfahrungen ausgelotet haben. Ohne darüber nachzudenken, dass das vielleicht gar nicht unser Weg sein könnte.

Zu diesem Bedürfnis nach Sicherheit gesellt sich dann bei den meisten Menschen noch ein starkes Bedürfnis nach Zugehörigkeit. Das Bedürfnis dabei zu sein, zu einem gewissen Kreis, einer Zunft oder einer Szene zu zählen. Diese beiden Bedürfnisse zusammen ergeben eine wirkmächtige Kombination, die bei vielen Menschen in der Lage ist, die ebenfalls vorhandenen Bedürfnisse nach Autonomie, Anders- und Einzigartigkeit unter Kontrolle zu halten oder sogar ganz zu unterdrücken.

Die Folge im persönlichen Bereich ist, dass sich Menschen anpassen und zu Mitläufern werden. Anstatt das eigene Potenzial und die individuelle Besonderheit zu entdecken und zu entwickeln, werden sie zur Kopie anderer oder versuchen den ihnen übergestülpten Erwartungen zu entsprechen. Auch im unternehmerischen Bereich hat dies Konsequenzen: die Tendenz dazuzugehören und es anderen gleichzutun entfaltet auch hier starke Anziehungskraft und diejenigen, die ihr erliegen, versammeln sich in der Regel hinter den Marktführern anstatt selber vorne dabei zu sein. Egal ob eine Person oder ein Unternehmen ununterscheidbar ist: wer sich nicht unterscheidet, wird sehr leicht austauschbar.

Auch das hat wieder logische Konsequenzen.

Aber es kommt noch ein überlebenswichtiger Umstand dazu, zu dessen Illustration noch einmal das Beispiel von der Skitour helfen kann. Wenn ich als Bergführer eine eigene Route in den Hang legte, bedeutete das für mich zwar die erhöhte Anstrengung im Tiefschnee zu spuren, aber neben dem Vorteil den für mich und meine Teilnehmer am besten passenden Weg wählen zu können, erfuhr ich durch das Spuren auch entscheidende Dinge über die Schneedecke und deren Stabilität. Durch das unmittelbare Spüren des Untergrunds erkannte ich Risikosituationen viel früher, als wenn ich anderen in deren Spur hinterhergelaufen wäre.

Um eine eigene Spur zu legen, muss man übrigens nicht einmal der Erste im Hang sein. Es genügt, der Versuchung des Hinterherlaufens zu widerstehen und einfach die etwas höhere Anstrengung der eigenen Spur in Kauf zu nehmen. Ich habe über viele Jahre bei jeweils ca. 80–90 Skitouren pro Winter Teilnehmer auf herausfordernden Routen in den Ost- und Westalpen geführt und war trotzdem nie in ein Lawinenunglück involviert.

Nur Glück?

Nein, einfach ständiger unmittelbarer Kontakt mit den Elementen und die Bereitschaft eine sichere Rückkehr aller Teilnehmer ins Tal über alles andere zu stellen.

Leader: Entdecke Deine eigene Besonderheit und entfalte Dein einzigartiges Potenzial. Hilf anderen dasselbe zu tun. Erkenne, dass auch der Wettlauf um die erste Position sehr oft nur Gleichförmigkeit der Bewerber produziert. Nur wenn Du den Mut und das Standing hast aus der Masse herauszuragen, hast Du auch die Chance Dein Team, Deinen Bereich, Dein Unternehmen, im wahrsten Sinn des Wortes, herausragend zu machen.

Taking your own route

A bright sunny winter morning, crystal clear and cold. Splendid conditions for our planned ski tour. It was snowing overnight, and the landscape lies before us like an untouched white surface. Far and wide there is not a single track to be seen, not even that of an animal. Besides us, three other groups are getting ready for the ascent at the starting point. Actually, the others were here before us and could have started already, but they only look doubtfully and helplessly into the landscape. The reason for their hesitation is etched upon their faces: Where do we go now? Which way should we take? Nobody seems to want to set out to lay the first track.

Aufstieg zur Haagspitze, Silvretta, Tirol, Österreich, 1994 ▶

Everyone waits.

We all know that not only is it exhausting, but it also needs a certain level of experience to go ahead here.

All right, then. I'm happy to make a start. As I lead the way with my group, I can really feel the relief of the others. They follow us quickly. No one deviates from our path anymore. No one makes another trail. No one questions whether this is the best route or the best approach. And this, even though I am not wearing my mountain guide badge on my anorak today. My spontaneous "followers" have no idea if I even know my way around …

I have often experienced this behavior in the mountains. Especially during ski tours in untouched deep-snow landscapes without existing tracks. As soon as the first ones set off, the rest of the group follows them without hesitation. But why is that so?

Whether in our leisure time or at work, our behavior is strongly shaped and influenced by one need: safety. When we enter a field in which we feel insecure, we look for clues that give us a familiar feeling of being safe, and of manageable risk. This is a natural tendency, because we have practiced this reaction pattern since our childhood.

Even as children, we observed and copied the behavior of adults. In this way we learned to follow the safe path that adults before us had already explored with their experiences. Without thinking that this might not be our way at all.

In addition to this need for security, most people also have a strong need for belonging. To be part of a certain circle, a guild or a scene. These two needs of *safety* and *belonging* together form a powerful combination that is able to control or even suppress the other needs for autonomy, difference and uniqueness.

The consequence in the personal sphere is that people adapt and become followers. Instead of discovering and developing their own potential and individual uniqueness, they become copies of others or try to meet expectations placed upon them. There are also entrepreneurial consequences. The tendency to belong and to follow in the footsteps of others also holds a strong attraction; those who succumb to it usually gather behind the market leaders instead of being at the front themselves. Whether a person or a company is indistinguishable, those who are not different become easily interchangeable.

This in turn has *logical* consequences.

But there is another circumstance that is essential for survival, which can be illustrated by the ski tour example. As a mountain guide, if I put my own route on the slope, it meant increased effort for me to track in deep snow, but apart from the advantage of being able to choose the most suitable route for me and my participants, I learned crucial things about the snow cover and its stability through that tracking. By feeling the ground immediately, I was able to recognize risk situations much earlier than if I had been following others in their tracks.

By the way, you don't even have to be the first on the slope to lay your own track. It is enough to resist the temptation to run after others and simply accept the slightly higher effort of making your own track. For many years I have guided participants on challenging routes in the Eastern and Western Alps – an average of 80–90 ski tours per winter – and yet, I have never been involved in an avalanche accident.

Just luck?

No, simply constant direct contact with the elements and the willingness to put the safe return of all participants to the valley above everything else.

Leader: discover your own speciality and develop your unique potential. Help others to do the same. Recognize that even the race for the first position very often only produces uniformity of applicants. Only if you have the courage and the standing to stand out from the crowd, you have the chance to make your team, your division, or your company, literally stand out.

◄ *Aufstieg zum Mont Blanc du Tacul, Frankreich, 1993*

Neue Perspektiven – neue Möglichkeiten

Eine Schlüsselerfahrung aus der Zeit meiner Kletteranfänge war für mich die Erkenntnis, dass es unterschiedliche Perspektiven auf eine Felswand gibt und dass es wichtig ist, alle zu kennen. So kann eine Wand, die man zuerst nur frontal von vorne sieht, unnahbar und bedrohlich wirken. Von der Seite kann sich dieser Eindruck jedoch relativieren: die Wand wirkt möglicherweise nun nicht mehr so steil wie von vorne und man kann bereits Felsabstufungen und Kanten erkennen. Geht man weiter bis zum Wandfuß, wird man bereits Möglichkeiten erkennen, hochzusteigen. Eine einzige Perspektive auf die Wand kann unter Umständen so erschreckend und abweisend wirken, dass sie Dich davon abhält, einzusteigen. Eine alternative Perspektive kann hingegen auch trügerisch harmlos sein und Dich dazu verführen, das Unternehmen zu unterschätzen. Doch nicht nur der Wechsel der Perspektive auf die Wand ist wichtig für die Einschätzung der Herausforderung, man braucht auch den Wechsel zwischen Distanz und Nähe zur Wand.

Um die gesamte Wand und den ganzen Routenverlauf zu erfassen, braucht man den großen Überblick über die Wand.

Bei besonders schwierigen Routen suchte ich mir mit meinen Kletterpartnern dafür beispielsweise während des Zustiegs einen geeigneten Platz aus, von woaus wir versuchten, die mögliche Route im Fels auszumachen, manchmal schon Tage oder auch Wochen vor der eigentlichen Begehung der Route. Wir nahmen ein Fernglas mit und suchten die Wand nach Klettermöglichkeiten und Standplätzen ab. Wir verschafften uns dabei auch einen Überblick über mögliche Fluchtwege oder Rückzugsmöglichkeiten und blickten dabei über die Ränder der Wand hinaus. Was alles könnte noch relevant werden? Gefahrenzonen, Steinschlag von anderen Bergen beim Zustieg, Wetterentwicklung? Daraus ergab sich dann für uns der weite Gesamtüberblick.

Doch genauso wie Du für den Überblick und die Gesamteinschätzung die große Distanz zur Wand brauchst, so entscheidend ist im Gegenzug auch die Nähe. Du musst den Fels sehen und ihn spüren, um ein Gefühl von Vertrauen aufzubauen. Du brauchst die unmittelbare Nähe von wenigen Zentimetern, damit Dein Auge auf dem Fels jene kleinen Unebenheiten und Rauheiten erkennen kann, die zuerst als Griffe und dann als Tritte dienen. Und manchmal musst Du Dich mit den Händen am Fels vorantasten, um Griffe, die man nicht sehen kann, einfach zu erfühlen.

Wenn Du dann in der Route kletterst, setzt sich dieses Wechselspiel von Distanz und Nähe auf ähnliche Weise fort. Manche Passagen mit minimalen Haltepunkten verlangen ganz vorsichtig diffizile Kletterbewegungen und nahezu eine Verschmelzung mit dem Fels. Kaum hast Du wieder große Griffe und Tritte zur Verfügung, kannst Du Dich mit dem gesamten Körper aus der Wand hinauslehnen und nach oben blicken. Du musst Dich vom Kletterproblem buchstäblich lösen, um es lösen zu können.

Leader: Lerne, den Wechsel der Perspektive auf eine Herausforderung und das Wechselspiel von Distanz und Nähe zum Problem zu Deiner zweiten Natur zu machen. Bei neuen Herausforderungen wird es Dir helfen, die Situation angemessen einzuschätzen und Dich sowohl vor leichtfertigen, als auch vor übervorsichtigen Entscheidungen bewahren. Bei allzu vertrauten Problemen wird es dir helfen, das vermeintlich gut Bekannte oder das als offensichtlich Wahrgenommene mit neuen Augen zu sehen und Dir die immensen Kosten ersparen, die mit unerkannten und damit ungenutzten Möglichkeiten einhergehen.

Die größten Desaster und die schmerzlichsten Verluste entstehen, wenn Leader sich nur auf eine Perspektive verlassen – egal ob es die eigene ist oder die eines Experten, dem man unhinterfragt folgt.

> Mit welchen unterschiedlichen Menschen solltest Du Dich austauschen, und wessen Perspektive solltest Du in Deine Überlegungen und Entscheidungen einbeziehen?
> Welche Orte solltest Du aufsuchen, um zu neuen Erkenntnissen zu gelangen?
> Wie stellst Du sicher, dass Du sowohl den strategischen Überblick behältst und gleichzeitig die operativen Probleme im Detail realistisch beurteilen kannst?

New perspectives – new opportunities

A key experience from the time I began climbing was the realization that there are different perspectives on a rock face and that it is important to know them all. Thus, a wall that at first can only be seen from the front can seem unapproachable and threatening. From the side, however, this impression can be put into perspective: the wall may not seem as steep as it did from the front, and you can already see variations and edges in the rock. If one continues to the foot of the wall, one will already see possibilities where to climb up. A single perspective on the wall can sometimes be so frightening and repellent that it will prevent you from climbing it. On the other hand, an alternative perspective can be deceptively harmless and tempt you to underestimate the undertaking. But not only is the change of perspective on the wall important for assessing the challenge; you also need to alternate between the distant and the proximal view of the wall.

Rainer Petek, Piz Ciavazes, Micheluzzi-Route, Dolomiten, Italien, 1983 ▶

In order to grasp the entire wall and the entire route, you need to have a larger overview of the wall.

For particularly difficult routes, my climbing partners and I would choose a suitable spot for this purpose – for example, during our approach of the wall – from which we would seek to find the best possible route in the rock, sometimes days or even weeks before the actual ascent. We would take binoculars with us and search the wall for climbing possibilities and belay stations. We would also get an overview of possible escape routes or ways to retreat in looking beyond the edges of the wall. What else could become relevant? Hazard zones, rockfall from other mountains during the ascent, weather development? This would give us a wide general overview.

Just as your overall assessment requires a great distance from the wall, proximity is important. You have to see the rock and *feel* it to build up a sense of trust. You need the immediate closeness of a few inches to be able to see those small bumps and roughnesses on the rock that might serve first as handholds and then as footholds. And sometimes you need to touch the rock with your hands to easily *feel* holds that are not otherwise visible.

When you then climb the route, this interplay of distance and proximity continues in a similar way. Some passages with minimal handholds require very careful execution of difficult climbing movements and almost blending with the rock. As soon as you have large

handholds and footholds at your disposal again, you can lean out of the wall with your whole body and look up. You literally have to free yourself from the climbing problem in order to solve it.

Leader: Learn to make a continuous change of perspective on any challenge, and the interplay of distance and proximity to the problem, part of your second nature. When facing new challenges, it will help you to assess the situation appropriately and will save you from making both reckless and overcautious decisions. With all-too-familiar problems, it will help you to see the supposedly well-known or perceived obvious with fresh eyes. This will save you the immense costs associated with unrecognized, and thus unutilized, opportunities.

The greatest disasters, and the most painful losses, occur when leaders rely on only one perspective – whether it is their own or that of an expert whom they follow unquestioningly.

> With which different people should you swap ideas, and whose perspective should you include in your considerations and decisions?

> Which places should you visit to gain new insights?

> How do you make sure that you keep that strategic overview and, at the same time, can realistically assess the operational problems in detail?

Wähle ein Gebiet, klettere was Du kannst, riskiere nicht mehr als Du darfst

Viel spannender als über die Bedeutung von langfristigen und hochgesteckten Zielen nachzudenken, finde ich die Frage welche Prinzipien uns auf dem Weg zur Realisierung unseres höchstmöglichen Potenzials eine brauchbare Orientierung geben können. Eine Grundvoraussetzung zur Verwirklichung eines langfristigen, hochgesteckten Zieles ist das Überleben bis zu dessen Erreichung – das gilt im wirtschaftlichen Umfeld genauso wie beim Klettern.

Wenn wir früher zum Klettern aufgebrochen sind, hatten wir uns selten nur die spezifische „eine" Route oder den „einen" Gipfel zum Ziel gesetzt. Vielmehr sind wir in ein Gebiet aufgebrochen, in dem es meist viele Möglichkeiten gab. Die Auswahl des Gebietes wiederum hing davon ab, wer überhaupt Zeit hatte, wieviel Zeit wir hatten und für welches Gebiet sich sowohl mein Kletterpartner, als auch ich begeistern konnte. Mit Thomas Kappl, meinem Haupt- und Lieblingskletterpartner der Anfangsjahre, fuhr ich bevorzugt in die Dolomiten, speziell in die Sella-Gruppe und in die berühmten Drei Zinnen. Dass allzu fixe Ziele nicht viel Sinn machen, hatten wir schnell gelernt, denn was tatsächlich vor Ort machbar war, hing sehr stark vom Wetter, von den Bedingungen in der Route – war diese zum Beispiel nass oder trocken – und nicht zuletzt auch von unserem aktuellen Leistungsniveau und unserer Tagesverfassung ab. Unser leitendes Prinzip war, in ein Gebiet zu fahren, das uns beide begeisterte und dort dann die schwierigsten Routen zu klettern, die für uns beide aufgrund unseres Leistungsniveaus und der Verhältnisse vor Ort möglich waren. Wir taten dies so oft es uns die Zeit und das Wetter erlaubten und konnten auf diese Weise unser Kletterkönnen rasch nach oben schrauben. Schon im dritten Klettersommer gelangen uns die ersten Extremtouren.

Doch noch ein weiteres Prinzip war auf diesem Weg entscheidend.

Die Tiefe unter mir wächst, die Unterarme beginnen zu brennen, Puls und Atem werden schneller. Ich bin jetzt schon etwa 8 Meter über dem Standplatz und es scheint noch schwieriger zu werden. Die Stelle über mir hängt leicht über und ich merke beim ersten Versuch darüber zu klettern, dass ich nicht mit hundertprozentiger Sicherheit sagen kann, dass ich das schaffe.

Ich blicke nach unten.

Ein Sturz würde am Standplatz vorbeigehen, da ich keinen Zwischenhaken habe. Mit Seildehnung kämen locker 18–20 Meter zusammen. Fünfzehn Meter tiefer ragt ein markanter Vorsprung aus der Wand, da würde ich aufschlagen.

Das Risiko ist nicht vertretbar, ich entscheide mich zurück zu klettern.

Nach nur einem Meter Abklettern bemerke ich eine Ritze im Fels, die ich vorher beim Raufklettern übersehen hatte. Hier könnte ich einen Klemmkeil legen, eine Zwischensicherung anbringen, womit die Gefahr des Aufschlagens auf dem Vorsprung gebannt wäre, und die schwierige Stelle oberhalb noch einmal versuchen. Gesagt, getan. Kurze Zeit später versuche ich die überhängende Stelle wieder, diesmal ist zwei Meter unter mir eine solide Zwischensicherung.

Wieder werden Puls und Atem schneller, aber diesmal weiß ich, dass mir im Falle eines Sturzes nicht viel passieren würde. Kurzentschlossen wage ich es weiter zu klettern. Eine Folge von drei Kletterzügen auf kleinen Griffen ist wirklich schwer, aber ich schaffe es. Danach gibt es wieder größere Griffe und dann legt sich die Wand zurück. Der Weg nach oben ist frei.

Das dritte Prinzip, das uns auf unserem Weg leitete, war niemals mehr zu riskieren, als vertretbar war. Für uns hieß es, niemals einen Sturz zu riskieren, wenn die Gefahr bestand aufzuschlagen.

Die Prinzipien „Wähle ein Gebiet, klettere was Du kannst, riskiere nie mehr als Du darfst" lassen sich auch im unternehmerischen Bereich hervorragend anwenden. Gerade, wenn es darum geht ins Neuland aufzubrechen oder ein Projekt unter Bedingungen von Ungewissheit zu starten. Allzu oft werden solche Vorhaben mit derselben Logik geplant und verabschiedet, wie Routineprojekte wie zum Beispiel die Eröffnung der 150. Filiale. Mit dem Ergebnis, dass mit dem langfristigen, hochgesteckten Ziel auch das Handeln und Umsetzen auf unbestimmte Zeit in die Zukunft verschoben wird, denn „man kann ja nicht anfangen solange nicht alle Informationen und Ressourcen vorhanden sind".

Im Unternehmen bedeutet die Anwendung der vorgenannten Prinzipien, sich für eine strategische Richtung zu entscheiden und mit einem Richtungskorridor möglicher Ziele und Chancen zu agieren, statt sich auf ein singuläres, logisch richtiges Ziel zu fixieren. Es bedeutet sofort auf Basis vorhandener Ressourcen wie Können, Wissen, Beziehungen, Mittel und Begeisterung mit dem Handeln zu beginnen, anstatt die Umsetzung auf das singuläre, logisch richtige Ziel hin von der Beschaffung der noch fehlenden Ressourcen abhängig zu machen. Und es bedeutet nur soviel zu riskieren, wie man bereit ist zu verlieren, anstatt sich von der Spekulation auf einen potenziellen Erfolg zu Risiken verleiten zu lassen, die das wirtschaftliche Überleben gefährden.

Pick an area, climb what you can, do not risk more than you should

---

Rather than thinking about the importance of long-term and ambitious goals, I find it much more exciting to explore the principles that can give us a useful orientation on the way to realizing our highest possible potential. A basic requirement for the realization of any long-term, ambitious goal is to survive *until it is reached – this applies in the economic environment just as much as in climbing.*

◄ *Thomas Kappl am Piz Ciavazes, Micheluzzi-Route, Dolomiten, Italien, 1983*

In the past, when we set out to climb, we would seldom choose only a specific "one and only" route or a "one and only" summit as our goal. Rather, we would set out for an area where there were usually several opportunities. The choice of the area depended on who had time, how much time we had and about which area both my climbing partner and I were enthusiastic.

Thomas Kappl, my main and favorite climbing partner of the early years, and I preferred to go to the Dolomites, especially to the Sella Group and the famous Tre Cime di Lavaredo. We quickly learned though that *firmly fixed* goals don't make much sense, because what was actually possible on site depended very much on many variables: the weather, conditions on the route – was it wet or dry, for example – and last but not least, on our current level of performance and our condition on that particular day. Our guiding principle was to drive to an area that we both loved and then climb the most difficult routes possible, based on our performance levels and the conditions on site. We did this as often as time and weather permitted and in this way, we were able to quickly hone our climbing skills. By our third climbing summer we had already managed to do our first extreme tours.

But there was another principle that was decisive on our journey.

The depth below me grows, my forearms start to burn, as my pulse and breathing becomes faster. By the time I'm eight meters (26 feet) above the belay point, it seems to become even more difficult. The spot above me hangs over slightly, and I notice on my first attempt to climb over it that I cannot say with one-hundred percent certainty that I will make it.

I look down.

If I fell, I would pass by the belay point, because I don't have a piton in between. With rope stretching, the fall would easily amount to 18–20 meters (59–66 feet). Fifteen meters (49 feet) lower, a prominent projection juts out of the wall, and it is there I would hit the rock.

The risk is not acceptable; I decide to climb back.

After only one meter (three feet) of climbing down, I notice a crack in the rock that I had missed before while climbing up. Here I could put in a wedge and attach an intermediate belay, which would eliminate the danger of hitting the ledge in the case of a fall, and try the difficult spot above me again. No sooner said than done.

A short time later, I try the overhanging part again, and this time two meters (six feet) below me there is a solid intermediate belay.

Again, my pulse and breath rates increase, but this time I know that if I fell, not much would happen to me. Without hesitation, I dare to climb further. One sequence of three climbing moves on small holds is really hard, but I manage. After that, there are bigger holds again and the wall is back. The way up is free.

The third principle that guided us on our way was never to risk more than could be justified. For us, it meant never to risk a fall when there was the danger of hitting the rock.

The principles of "Pick an area, climb what you can, and never risk more than you should" can also be applied excellently in the business world – especially when it comes to breaking new ground or starting a project under conditions of uncertainty. All too often, such projects are planned and approved with the same logic as routine projects such as, for example, the opening of the 150th store. The result is that, with the long-term, ambitious goal in mind, action and implementation are also being postponed indefinitely into the future, because "you can't start until all the information and resources are available."

In a company, applying the above principles means choosing a strategic direction and acting within a directional corridor of possible goals and opportunities, instead of focusing on a singular, logically correct goal. It means to start acting immediately, based on existing resources such as skills, knowledge, connections, means and enthusiasm, instead of making the implementation towards achieving that singular, logically correct goal dependent on procuring the missing resources. And it means only risking as much as one is willing to lose, instead of being tempted by speculation on potential success to take risks that threaten one's economic survival.

Fail early to learn quickly

Wenn Sportkletterer sich eine besonders schwierige Route vornehmen, mit der sie in einen neuen Schwierigkeitsbereich vordringen wollen, nennen sie das im Kletterjargon ein „Projekt". Man sucht sich dazu eine Kletterroute, deren Schwierigkeit momentan noch weit über der persönlichen Leistungsgrenze liegt. Dazu sind meist viele Versuche notwendig. Durch das systematische Experimentieren und Scheitern an der aktuellen Leistungsgrenze wird diese nach oben verschoben und so das vorher Unmögliche machbar.

Diesen Umstand wollte ich mir Anfang der 1990er-Jahre zu Nutze machen: Ich hatte mich entschieden, mich als Profibergführer auf Alpine Extremklettereien im sechsten und siebten Schwierigkeitsgrad zu spezialisieren. Um solche Touren mit zahlenden Kunden verantwortungsvoll und sicher durchführen zu können, wollte ich mir über das vergleichsweise ungefährliche Sportklettern (perfekt mit ausreichend Bohrhaken abgesicherte Routen, meist an 10 – 40 Meter hohen Felsen in Talnähe) eine beruhigende Leistungsreserve von zwei Schwierigkeitsgraden aufbauen.

Ich suchte mir also so ein Projekt im neunten Schwierigkeitsgrad, das zwölf Meter hoch war und aus wunderschöner überhängender Kletterei an kleinsten Leisten und Löchern bestand. Bei den ersten zaghaften Versuchen hatte ich keine Chance und kam nur bis zur Wandmitte. Nach monatelangem harten Training gelangen dann endlich alle Kletterstellen bis zum Ausstieg, jedoch nur von Haken zu Haken mit mehrmaligem Rasten an ebenjenen. Von einer stilreinen Begehung in einem Zug war ich noch meilenweit entfernt. Der Grund dafür war größtenteils mentaler Natur: Als alpiner Felskletterer hatte ich ein Überlebensmuster ausgebildet, das lautete: „Niemals stürzen, klettere immer mit Reserven!" Dieses mentale Muster war in alpinen Wänden durchaus sinnvoll, behinderte mich jedoch in diesem Projekt.

Beim Sportklettern unter optimalen Rahmenbedingungen ist es im Gegensatz zum Alpinen Klettern nicht nur erlaubt zu stürzen, sondern für das Verschieben der persönlichen Leistungsgrenzen sogar unbedingt notwendig. Stürzen ist beim Sportklettern Routine; der Weg zum Erfolg führt über das Scheitern. Wichtig ist es, unverkrampft mit unterschiedlichen Bewegungskombinationen zu experimentieren und so die ökonomischste Klettervariante herauszufinden.

Es dauerte lange, bis ich mein altes Muster „Niemals stürzen, klettere immer mit Reserven!" durchbrechen und durch das neue Muster „Gib alles und noch mehr, und wenn du stürzt, versuchst du es halt wieder!" ersetzten konnte. Bei den ersten Sportkletterstürzen zog sich mein Magen zusammen. Nach und nach gewöhnte ich mich daran und machte so die Erfahrung, dass ein Sturz in Sportkletterrouten keine große Gefahr darstellte. Rein rational und logisch war mir das ohnehin schon vorher klar, denn aufgrund der kurzen Hakenabstände von durchschnittlich zwei Metern stürzte ich maximal vier bis fünf Meter. Und weil die extremen Sportkletterrouten zumeist senkrecht oder überhängend sind, flog ich ausnahmslos ins Leere, schlug nicht am Fels an und blieb also unverletzt.

Was mir zuerst nur rational bewusst war, lernte ich damit auch emotional und körperlich zu begreifen, nämlich dass das Stürzen beim Sportklettern keine fatalen Konsequenzen nach sich zog. So eröffnete sich mir ein völlig neuer Erfahrungsraum. Ich merkte plötzlich, welch unglaubliche Fortschritte möglich waren, nachdem sich durch das Lockern meiner mentalen Handbremse mein Aktionsradius erweitert hatte. Jenseits der Angst lag mitten im Scheitern die Lust am Lernen und Besserwerden. Ich begriff die Notwendigkeit des Scheiterns im Kleinen, um im Großen den Erfolg folgen zu lassen. Und zwar nicht als Folge von Versuchen mit einer halbherzigen Haltung, sondern mit der gesammelten Energie und mit der vollen Bereitschaft, alles zu geben und notfalls dabei eben zu stürzen – na und? Wer niemals stürzt, bleibt unter seinen Möglichkeiten.

Mit dieser Einstellung erzielte ich plötzlich sprunghafte Leistungszuwächse, die auch mit einem noch so ausgeklügelten Trainingsplan undenkbar gewesen wären. Ich hatte zwar 18 Monate für zwölf Meter gebraucht, aber ich kletterte auf einem völlig neuen Leistungsniveau und hatte die für das verantwortungsvolle Führen von Alpinen Extremrouten notwendige Leistungsreserve.

So wie man beim Klettern genau unterscheiden muss, ob man in gefährlichem, alpinem Gelände unterwegs ist (und somit nicht stürzen darf) oder in einer Sportkletterroute (in der kontrollierte Stürze erlaubt sind), so sollten auch Unternehmen unterscheiden, ob es um einen Hochverlässlichkeits-Prozess im bestehenden Geschäft geht, in welchem Null-Fehler das Ziel sind, oder um ein Innovationsvorhaben, in dem es um das spielerische Explorieren von Möglichkeiten geht. Obwohl auch hier Fehler explizit nicht das Ziel sind, sind sie doch die unvermeidliche Begleitmusik.

Leader: Was tust Du, damit der Unterschied zwischen diesen beiden Arbeitsmodi für alle klar ist und alle im Team jederzeit wissen, in welchem Bereich sie sich gerade befinden? Was tust Du, damit Dein Team bewusst zwischen beiden Arbeitsmodi wechseln kann? Was tust Du, damit es zu keinen Abwertungen zwischen den Protagonisten der Hochverlässlichkeits-Prozesse und jenen der Innovations-Projekte kommt?

Schlüsselerkenntnis: Wer niemals stürzt, bleibt unter seinen Möglichkeiten.

◀ *Rainer Petek, Sportklettern im Grad IX-,*
1992 Kanzianiberg, Österreich

Fail early to learn quickly

When sport climbers set out on a particularly difficult route to advance to a new performance level, they call it a "project" in climbing jargon. They look for a climbing route on a level of difficulty that is still far above their current personal performance limit. This usually requires many attempts. By systematically experimenting and failing at their current performance limit, they push up that limit and make what was previously impossible feasible.

Rainer Petek, Sportklettern im Grad VIII+, 1992 Kanzianiberg, Österreich ▶

I wanted to take advantage of this fact at the beginning of the 1990s. I had decided to specialize as a professional mountain guide in alpine extreme climbing grades 6 and 7. To be able to lead such tours responsibly and safely with paying clients, I wanted to build up a reassuring performance reserve of two grades through comparatively safe sport climbing (along perfectly secured routes with sufficient bolts, mostly on rock faces 10–40 meters (33–131 feet) high, near the valley).

Therefore, I looked for a grade 9 project, which was 12 meters (39 feet) high and consisted of beautiful overhang climbing with the smallest of handholds. On my first tentative attempts I didn't stand a chance and got only to the middle of the wall. After months of hard training, I finally managed to get through all the climbing sections to the exit, but only with several rests from piton to piton. I was still miles away from a stylistically pure climb in one go. The reason for this was mostly mental. As an alpine rock climber I had developed a survival pattern that told me: "Never fall, and always climb with reserves!" Although this mental pattern certainly made sense in alpine climbing routes, it was hindering me in this project.

In contrast to alpine climbing, sport climbing under optimal conditions not only allows falling, but recognizes that it is also absolutely necessary for shifting personal performance limits. Falling is routine in sport climbing; the way to success is through failure. It is important to experiment in a relaxed manner with different combinations of movements and thus find the most economical climbing variant.

◄ *Rainer Petek, Sportklettern im Grad IX-,*
1992 Kanzianiberg, Österreich

It took me a long time until I was able to break through my old pattern of "Never fall, and always climb with reserves" and replace it with a new pattern of "Give it everything and more, and if you fall, just try again." My stomach tightened during my first sport-climbing falls. But little by little, I got used to it and learned that a fall on a sport climbing route poses no great danger. From a rational and logical point of view, this was clear to me anyway, as I could fall no more than four to five meters (13 to 16 feet) with the pitons being, on average, only two meters (6½ feet) apart. And because the extreme sport-climbing routes are mostly vertical or overhanging, I always flew into the void without hitting the rock, and so remained uninjured.

What I was only rationally aware of at first, I thus also grew to understand emotionally and physically; namely that falling during sport climbing did not have fatal consequences. This opened up a completely new space of experience for me. I suddenly realized what incredible progress was possible after loosening my mental handbrake and thus expanding my horizon of action. Beyond fear, in the midst of failure lay the desire to learn and improve. I understood the necessity of failure on a small scale, in order to be followed by success on a large scale. And that was not as a result of attempts with a half-hearted attitude, but with the concentrated energy and full willingness to *give it everything*, and, if necessary, to fall – so what? He who never falls, stays below his potentials.

With this attitude, I now achieved a sudden increase in performance that would have been unthinkable with even the most sophisticated training plan. Although it had taken me 18 months to climb 12 meters (39 feet), I was climbing at a completely new level, and had the performance reserve necessary for leading alpine extreme routes responsibly.

Just as when climbing, you have to determine precisely whether you are in dangerous, alpine terrain (and therefore not allowed to fall) or on a sport climbing route (where controlled falls are permitted), companies should also differentiate whether it is a matter of a highly reliable process in an existing business, in which zero errors are the goal, or an innovation project, in which the aim is to playfully explore possibilities. Although errors are explicitly not the goal here either, they are an inevitable accompaniment.

Leader: What are you doing to ensure that the difference between these two working modes is clear to everyone, and that everyone in the team knows at all times what area they are in? What do you do so that your team can consciously switch between these two working modes? What are you doing so that there is no devaluation between the protagonists of high-reliability processes and those of innovation projects?

Key Point: He who never falls, stays below his possibilities.

JETZT! NEU!
Wandel durch Entwicklung &
Wandel durch Entscheidung

———————

Ich erinnere mich an das Gefühl, als ob es gestern gewesen wäre: der Moment als meine Hände das erste Mal Fels berührten. Ich wusste sofort: Das ist es, das ist mein Ding! Ich will Kletterer werden. Und ich will nicht nur irgendwie einfach so Kletterer werden, ich will der beste Kletterer werden, der ich werden kann. Es war einerseits das Gefühl von unmittelbarer Verbundenheit mit der Welt und andererseits die aufregende Erfahrung, mich selber wachsen zu spüren während ich eine herausfordernde Kletterpassage bewältigte. Dieses Gefühl ließ mich immer wieder in die Berge gehen. Meine spontan getroffene Entscheidung der beste Kletterer zu werden, der ich werden konnte, hat mich über ein Jahrzehnt an meiner eigenen Entwicklung arbeiten lassen. Während der Zeit von meinen Kletteranfängen im Jahr 1981 bis zu meinen schwierigsten Routen als Profibergführer im Jahr 1997 habe ich extrem viel, teils auch schmerzhaft, gelernt. Ausschlaggebend dafür war aber diese starke, innere Entscheidung ganz zu Beginn.

Das englische Wort „Change" wird nur zu gerne in einem Atemzug genannt mit dem Begriff „Zukunftsgestaltung". Assoziiert werden damit meist kühne Zukunftsentwürfe, große Pläne und Roadmaps. Damit führt das Wort leicht auf eine falsche Fährte. Der Wandel soll passieren, irgendwann im Morgen. Mir kommt es so vor, als ob sehr oft über Zukunft gesprochen wird, wenn vermieden werden soll, mit dem Handeln heute schon zu beginnen – wenn die eigentliche Aktion noch ein bisschen hinausgeschoben werden soll und heute nur warme Worte dazu verteilt werden sollen. Worte, die niemandem wehtun und die niemanden fordern.

Aber halten wir uns vor Augen: Der einzige Moment, in dem wir gestalten können, ist JETZT.

Je mehr Ziele ich für die Zukunft aufstelle, je mehr Pläne ich mache, desto mehr schiebe ich den Wandel von mir weg. Und mit jedem Aufschieben schwindet meine Handlungsfähigkeit.

Warum?

Während ich meine Aktion vor mir her, also in die Zukunft schiebe, verlasse ich mich darauf, dass die Welt da draußen exakt so bleibt, wie ich sie im Plan habe. Doch wenn ich mich auf eines verlassen kann, dann ist es die Tatsache, dass sie genau das nicht tut. Die Welt dreht sich weiter. Jeder Tag, jede Sekunde ist neu. Und so werde ich ständig mit neuen Rahmenbedingungen konfrontiert. Ich kann den Status Quo nicht einfrieren, bis die Zeit für die von mir geplante Umsetzung gekommen ist.

Und doch kann ich gestalten: indem ich heute und hier mit der Aktion beginne, die heute und hier sinnvoll ist – durchaus mit dem strategischen Blick auf die möglichen Wirkungen meiner heutigen Entscheidung auf die Zukunft. Daran schließt sich morgen meine Folgeaktion an. Die Entscheidung dafür treffe ich morgen, denn das Morgen ist dann Jetzt und ich sehe, ob meine nächste Aktion in dem neuen Jetzt Sinn macht. Wenn das der Fall ist, dann handle ich. Jetzt.

Ich persönlich halte das Bild des *transkontinuierlichen Wandels* für ein sehr hilfreiches. Es besagt nichts anderes, als dass nur die balancierte und ineinander verschränkte Anwendung von zwei unterschiedlichen Möglichkeiten oder auch Spielarten des Wandels nachhaltigen Erfolg verspricht: Zum einen ist es die sprunghafte, plötzliche Veränderung, man könnte auch sagen „Veränderung durch Entscheidung". Wenn ich zum Beispiel Nichtraucher werden will, kann ich das von einem Moment auf den nächsten realisieren. Demgegenüber steht die kontinuierliche Veränderung, die allmähliche Verbesserung, der Weg der kleinen Schritte. Man könnte dies „Veränderung durch Entwicklung" nennen. Wenn du ein begeisterter Bergwanderer bist und in Zukunft ein exzellenter Kletterer werden willst, wirst du diesen Weg der vielen kleinen Verbesserungsschritte jeweils im Heute gehen müssen.

Hier trennt sich in der Praxis meist die Spreu vom Weizen – bei den Bergsteigern genau so wie bei den Unternehmen: Das erwünschte Zukunftsbild, den

„Desired Future State" zu formulieren, ist nicht die große Kunst. Den Unterschied macht die Fähigkeit, jedesmal wenn sich eine Gelegenheit auftut, die neue erwünschte Gegenwart in die Welt zu bringen, den „Desired Present State". Bei den größeren Chancen, die mutigere Entscheidungen erfordern, genauso wie in den vielen kleinen, tagtäglichen und unspektakulären Momenten, in denen ich die Möglichkeit habe, mich neu zu verhalten: Jetzt! Neu!

Das heißt nichts anderes als dass Wandel – oder Change – jeden Tag, jede Minute stattfinden muss. Nicht erst morgen oder nächstes Jahr. Das heißt nicht, dass alles auf einmal passieren muss. Weder Rom noch die chinesische Mauer wurden an einem Tag erbaut. Aber jeden Tag ist ein Stück daran weitergebaut worden. Und wenn heute gleich fünf Handlungen sinnvoll sind, aber nicht alle auf einmal machbar, dann kann der Mensch nur mit dem Machbaren beginnen, und morgen wieder überprüfen, ob die restlichen Handlungen immer noch sinnvoll sind. Wenn ja, dann geht es weiter.

Die großen Zukunftsträume sind gut und richtig. Sie müssen aber gekoppelt sein an einen konstanten Prozess, machbare Schritte zu realisieren, der allen Beteiligten in Fleisch und Blut übergegangen ist. Der im Jetzt und Heute stattfindet. Dann passiert auch etwas. JETZT!

Schattenspiel, Wilder Kaiser, Tirol, Österreich, 1985 ▶

NOW! NEW!
Change by development &
Change by decision

I remember that feeling like it was yesterday. The moment my hands touched rock for the very first time. I knew immediately: This is it! This is my thing! I want to be a climber. And I don't want to be just any old climber, I want to become the very best climber I can become.

It was a sense of being immediately connected to the world, as well as the exciting experience of feeling myself grow each time I mastered a challenging climbing passage. This kept me going back to the mountains. And my spontaneous decision to commit to becoming the best climber possible kept me working on my own development for over a decade. From when I began climbing in 1981 to when I climbed my most difficult routes as a professional mountain guide in 1997, I learned heaps, though sometimes painfully. But the decisive factor was this strong inner decision at the very beginning.

The word "change" is often mentioned in the same breath as the term "shaping the future". It is usually associated with bold plans, blueprints and roadmaps. The word thus easily leads people onto the wrong track. Change is supposed to happen sometime in the future. It seems to me that the future is very often talked about if the aim is to avoid making a start on action today – as if real action is to be postponed a little longer by dispensing only comforting words today. Words that do not hurt anyone and that do not challenge anyone. But let us remember this: The only moment in which we can shape the future is NOW.

The more goals I set for the future and the more plans I make, the more I push that change away from me. And with every postponement, my ability to act diminishes.

Why?

While I am pushing my action ahead of me, that is, into the future, I am relying on the world outside staying exactly the way I have planned it. But if there is one thing I can rely on, it is the fact that the world just keeps on revolving. Every day, every second is new. And so, I am constantly confronted with new conditions. I can't freeze the status quo until the time has come to implement my plan.

And yet, I can still create the future. By starting immediately with action that makes sense here and now – and certainly I could look strategically at the effects my decision today might have on the future. This will be continued tomorrow by my follow-up action. I'll make the decision on that tomorrow, because tomorrow then will be NOW and I'll be able to see whether my next action makes sense in the new now. If it does, then I will act. NOW.

Personally, I consider the concept of *transcontinuous change* a very useful one. It simply means that only a balanced and intertwined application of two different possibilities or even varieties of change promises lasting success: On the one hand, there is sudden, erratic change, or one could also call it "change by decision." For example, if I want to give up smoking, I can bring this about from one moment to the next. On the other hand, there is continuous change, a gradual improvement, a path of small steps. One could call this "change by development." If you are an enthusiastic mountain hiker and want to become an excellent climber in the future, you will have to take this path of many small steps of improvement each day.

In practice, this is where the wheat is usually separated from the chaff – for mountaineers as well

◀ *Bei der Arbeit als Bergführer, Glockner Gruppe, 1993*

as for companies. Formulating the desired vision of the future, the "desired future state," however, is not rocket science. What makes the difference is the ability to bring the new desired present into the world every time an opportunity arises, or the "desired present state." It's in those greater opportunities that require bolder decisions, as well as in the many small, everyday, unspectacular moments when I have the opportunity to act in a new way: NOW! NEW!

All this means is that change must happen every day, every minute. Not tomorrow or next year. It doesn't mean that everything has to happen at once. Neither Rome nor the Great Wall of China was built in a day. But every day a piece of it was added. And if today five actions make sense, but it's not feasible to complete all of them at once, then you can only start with what is feasible, and tomorrow you can check whether it still makes sense to complete the remaining actions. If so, you get on with it.

Having great dreams for the future is all good and right. However, it must be linked to a constant process of implementing feasible steps, which has to become second nature to all those involved – and take place in the here and now. Then things will change. NOW!

HERAUSFORDERUNGEN

CHALLENGES

Willens-Ziele

Der Ruf von Sepp reißt mich aus dem Schlaf: „Rainer, steh auf. Es ist sternenklar!" Es ist 0.30 Uhr und mir wird schlagartig klar, was das bedeutet. Jeder in der Hütte müsste jetzt eigentlich mein Herz klopfen hören. Warum kann es nicht regnen? Dann wäre klar, dass wir nicht einzusteigen brauchen. Aber so? Ich bin unfähig, mich zu bewegen. Ich hätte nie gedacht, dass ein Mensch so schwer sein kann. Ich habe das Gefühl, Tonnen zu wiegen. Ich weiß nicht genau, ob ich in die Tour einsteigen möchte oder nicht – ich möchte natürlich schon, denn ich möchte zumindest sagen können, dass ich es geschafft habe; aber Möchten und Wünschen bringt mich hier nicht weiter, denn es geht um eine andere Kategorie: Es geht ums Wollen und ich bin mir nicht sicher, ob ich es wirklich wagen will.

Tags zuvor, am 16. Juli 1984, war ich eine emotionale Hochschaubahn durchlaufen. Sepp hatte im Tal den Vorschlag gemacht, aufgrund des angekündigten Schönwetterfensters von drei Tagen einen Versuch an der Grandes Jorasses Nordwand zu wagen. Noch keine Seilschaft hatte im Sommer 1984 aufgrund der starken Vereisung den Durchstieg durch den berühmten Walker-Pfeiler geschafft. Die Aussicht diese Traumtour zu durchklettern und dabei noch die Lorbeeren für die erste erfolgreiche Seilschaft in jenem Sommer einzuheimsen, hatten mich im Tal spontan JA zu diesem Vorschlag zu sagen. Als wir dann gestern Nachmittag am Beginn des Gletschers ankamen, sah ich die Nordwand der Grandes Jorasses, die ich bis dahin nur von Bildern und Berichten gekannt hatte, das erste Mal live. Beim Anblick des grandiosen Walker-Pfeilers, der Traumlinie schlechthin in den Alpen, kam ein riesiges Feuer der Leidenschaft in mir auf. Beim Weg zur Wand bzw. zur Leschaux-Hütte, wo wir noch einmal übernachten mussten, wurde jedoch diese gigantische Wand vor mir immer größer und im selben Verhältnis das Feuer der Leidenschaft in mir immer kleiner. Respekt, Ängste und Zweifel kamen in mir auf. Und jetzt liege ich hier.

Ich merke, dass meine Zweifel mich ans Bett fesseln. Mir wird klar, dass ich jetzt bald eine echte Entscheidung treffen muss. Kein lauwarmes „Ja, vielleicht …" oder zögerliches „Ja, aber …", sondern ein echtes, inneres JA. Oder eben ein echtes, inneres NEIN. Als ich so daliege, tonnenschwer und bewegungsunfähig und mich frage, ob ich das will und kann, passiert etwas Eigenartiges. Ich habe das Gefühl, als hätte ich die Fragen, ob ich der Wand wirklich gewachsen bin und ob ich das wirklich will noch gar nicht richtig an mich herangelassen. Ich darf mir diese Fragen nicht nur mit dem Kopf stellen, sondern muss auch mit Bauch und Herz überlegen: „Kann ich das? Will ich das? Und

bin ich bereit den ganzen Einsatz zu bringen, den eine Durchsteigung von mir verlangen würde?"

Während ich mir diese Fragen stelle und versuche mir Seillänge für Seillänge vorzustellen, taucht plötzlich ein Bild vor meinem geistigen Auge auf, und zwar so real, als wäre ich schon oben in der Wand: Ich sehe mich voll Entschlossenheit und Kraft hinaufklettern. Ich klettere den Roten Kamin, die letzten extrem schwierigen und auch teilweise brüchigen Seillängen am Walker-Pfeiler, in über 4.000 Meter Höhe zudem meist vereist. Ich weiß plötzlich: „Ich kann das! Ich will das! Und ich bin bereit den ganzen persönlichen Einsatz, der für eine Durchsteigung erforderlich ist, in das gemeinsame Unternehmen mit Sepp einzubringen!" Ich fühle, wie Energie durch meinen Körper strömt und bin plötzlich wieder bewegungsfähig. Ich stehe auf, wir verlassen etwas später die Hütte und steigen am 17. Juli beim ersten Tageslicht in den Walker-Pfeiler ein. Am 19. Juli stehen wir am Gipfel der Grandes Jorasses, als erste Seilschaft, welche die Durchsteigung dieser Nordwand im Sommer 1984 geschafft hatte.

Rückblickend kann ich sagen, dass ich im Lagerschlafplatz der Leschaux-Hütte einen der prägendsten Momente meines Lebens erlebt habe. Ich habe auf eindrückliche Weise gelernt, dass es einen entscheidenden Unterschied in der Qualität unserer Ziele gibt: **Wir können Willens-Ziele haben oder bloß Wunsch-Ziele.** Wunsch-Ziele haben viele Menschen, besonders jedes Jahr am 31. Dezember. Auch in Unternehmen beobachte ich Wunsch-Ziele zuhauf. Wunsch-Ziele in Unternehmen haben einen bevorzugten Aufenthaltsort: PowerPoint-Folien. Dort finden sich jede Menge logisch richtiger Ziele und wünschenswerter Projektionen von Geschäftsverläufen in die Zukunft, ganz egal ob es dabei um die Erhöhung von

▲ *Rainer Petek im Rebuffat-Riss, Grandes Jorasses Nordwand, 1984*

Umsatz, EBIT, Marktanteilen, Produktivität oder um die Reduktion der Churn Rate, Kosten, Fehlerquoten, Reklamationen geht.

Ich behaupte nicht, dass dies falsch ist. Es darf nur nicht dabei bleiben. Unternehmen brauchen den Schritt von PowerPoint in das Handeln. Und Handeln erfolgt auf der Basis von Willens-Zielen. Wille zeigt sich nicht an der Aussage: „Ja, ich will!", Wille zeigt sich im Handeln. Wille zeigt sich darin, ob Menschen einen Schritt auf das Ziel zu machen; ob sie am Ziele festhalten, auch wenn es ungemütlich wird; ob sie einen alternativen Weg zur Zielerreichung suchen, wenn sich die vorher angedachten Wege als nicht machbar herausstellen. Leider versuchen viele Menschen in Führungspositionen – meist wegen des zu hoch erscheinenden Zeitbedarfs – erst gar nicht mit ihrem Team gemeinsame Willens-Ziele zu entwickeln, sondern glauben, dass sie das notwendige Commitment ihres Teams durch eine Präsentation der eigenen (Willens-)Ziele erreichen. In den allermeisten Fällen werden im Team daraus bloß Wunsch-Ziele auf PowerPoint-Folien. Und sie verlieren mindestens zehnmal so viel Zeit in schleppender oder mangelhafter Umsetzung.

Leader: Was tust Du, um für Dich selbst Willens-Ziele zu entwickeln? Wie ermöglichst Du den Mitgliedern Deines Teams die Entwicklung eigener Willens-Ziele? Welche Prozesse nutzt Du, um Strategien zu vergemeinschaften, um so gemeinsame Willens-Ziele zu entwickeln? Wie gehst Du mit Teammitgliedern um, deren Willens-Ziele (die sich im Handeln zeigen) nicht zur übergeordneten Gesamt-Strategie passen?

Will-based goals

Sepp's call tears me out of my sleep: "Rainer, get up. It's starlit!" It's 0:30a.m. and I suddenly realize what that means. Everyone in the cabin should be able to hear my heart beating right now. Why can't it rain? Then it would be clear that we don't have to climb in. But like this? I can't move. I never thought a human could be so heavy. I feel like I weigh tons. I don't know exactly whether I want to set off on this climb or not – of course I would like to, for I'd at least like to be able to say that I've made it; but wishing and "would like to" doesn't get me any further here, because this is in a different category. It's really about wanting, and I'm not sure if I really want to risk it.

Sepp Bierbaumer und Rainer Petek am Gipfel der Grandes Jorasses 1984 ▶

The day before, on July 16, 1984, I had gone through an emotional rollercoaster ride. In the valley, Sepp had suggested that we have a go at the Grandes Jorasses north face because of the forecast of a three-day window of fair weather. In the summer of 1984, no rope team had yet managed to climb the famous Walker Spur because it had been heavily iced up. The prospect of climbing this dream route and taking credit for being the first successful rope team that summer made me spontaneously say YES to this proposal. When we arrived at the head of the glacier yesterday afternoon, I saw the north face of the Grandes Jorasses, which I had only known from pictures and reports until then, live for the first time. At the sight of the grandiose Walker Spur, the dream line par excellence in the Alps, a huge fire of passion came up in me. However, on the way to the Leschaux Refuge, where we had to spend another night, this gigantic wall in front of me became bigger and bigger and, in the same proportion, the fire of passion in me became smaller and smaller. Respect, fears and doubts came up in me. And now I am lying here.

I notice that my doubts are tying me to the bed. I realize that I have to make a real decision soon. Not a lukewarm "Yes, maybe" or a reluctant "Yes, but ...", but a real, inner YES. Or a real, inner NO. As I lie there, heavy and immobile, wondering whether I want to and can do this, something strange happens. I have the feeling as if I hadn't yet allowed the questions of whether I'm really up to climbing the wall and whether I really want to do it, to come to me. I shouldn't ask these questions with my brain alone, but must also consider them with my heart and gut: "Can I do this? Do I want to? And am I willing to put in all the effort that climbing the wall would require of me?"

While I'm asking myself these questions and trying to imagine the climb pitch by pitch, suddenly a picture appears in my mind's eye, as real as if I was already up on the wall: I see myself climbing up with determination and strength. I'm climbing the Red Chimney, the last extremely difficult and also partly brittle pitches on the Walker Spur, which moreover, at an altitude of over 4,000 meters (13,000 feet), is mostly iced up. At once I know it: "I can do it! I want to do this! And I'm willing to put in all the personal effort necessary for this climb, in this joint venture with Sepp! I feel energy flowing through my body and suddenly I am able to move again. I get up, and we leave the hut a little later. We start climbing the Walker Spur at first light on July 17th. On July 19th we reach the summit of the Grandes Jorasses, as the first rope team to have managed the ascent of this north face in the summer of 1984.

Looking back, I can say that I experienced one of the most defining moments of my life while lying in a dormitory bed at the Leschaux Refuge. I learned, in an impressive way, that there is a decisive difference in the quality of our goals. **We can have goals based on will or just goals based on wish.** Many people have wish-based goals, especially every year on December 31. In companies, too, I see a lot of wish-based goals, and they have a preferred location: PowerPoint slides. There you can find a lot of logically correct goals and desirable projections of business processes into the future, whether they are about increasing sales, EBIT, market shares, and productivity, or about reducing the churn rate, costs, error rates, and complaints.

I am not saying that this is wrong. But you mustn't just leave it at that. Companies need to take the step

from PowerPoint presentation to action. And action is based on will-based goals. Will is not shown by saying "Yes, I want!"; will is shown by acting. Will is shown in whether people take a step towards the goal; whether they hold on to the goal even when it becomes uncomfortable; whether they look for an alternative way to reach the goal when the previously considered ways turn out not to be feasible. Unfortunately, many people in leadership positions – mostly because they think it takes too much of their time – don't even try to develop common will-based goals with their team, but believe that they can achieve the necessary commitment of their team by presenting their own (will-based) goals. In the vast majority of cases, the team will be left only with wish-based goals on PowerPoint slides. And at least ten times as much time is lost in slow or flawed implementation.

———————————

Leader: What do you do to develop will-based goals for yourself? How do you enable your team members to develop their own will-based goals? Which processes do you use to communitize strategies in order to develop common will-based goals? How do you deal with team members whose will-based goals (which become apparent in their actions) do not fit into the overall strategy?

Querung in der Grandes Jorasses Nordwand, 1984 ▶

Ich weiß es nicht!

———————

Ziemlich früh waren wir aufgebrochen heute Morgen, noch lange vor Sonnenaufgang, um gleich beim ersten Tageslicht einsteigen zu können. Mittlerweile ist es Mitte Nachmittag und wir haben nun schon 600 Meter Luft unter den Sohlen. Wir befinden uns mitten im traumhaften Plattenpanzer der Route Don Quixote an der Südwand der Marmolata in den Dolomiten. Ich bin zugegeben schon etwas müde und vor allem meine Zehen schmerzen wegen der engen Kletterschuhe höllisch. Eine solche Route als Bergführer zu führen – das bedeutet wirklich jede einzelne Seillänge von unten gesichert vorzusteigen – ist noch einmal eine Stufe schwieriger, als sie mit einem gleichwertigen Kletterpartner zu machen.

Nun folgt die Schlüsselseillänge und ausgerechnet jetzt kommt ein leiser Zweifel in mir auf. Es gibt zwei Möglichkeiten weiter zu klettern. Rechts die Variante der Zweitbegehung folgt einem überhängenden Riss mit einer Menge Haken – der eindeutige, aber ziemlich anstrengende Weg, den ich jedoch gerne meiden würde. Links, der Weg der Erstbegeher, führt in eleganter Freikletterei direkt über die Platten weiter nach oben. Was heißt führt – „müsste führen", denn ich sehe keine Haken weit und breit. Gerade hinauf scheint es nicht zu gehen, genauso wenig über links und auch nicht über rechts. Sollte ich mich doch für den übel aussehenden Riss entscheiden? Mir wird fast übel bei dem Gedanken an die unangenehme Kletterei. Andererseits: riskieren kann ich hier nichts, ich bin als Bergführer mit einem zahlenden Kunden unterwegs.

Ludwig, mein Kunde, scheint meine Unsicherheit zu bemerken und fragt: „Rainer, wie kommen wir da hoch?" Ich antworte ganz spontan und ohne lange nachzudenken: „Ludwig, ich weiß nicht WIE ... ich weiß nur, DASS wir einen Weg finden werden." Ludwig beginnt sich nun verstärkt für die Situation und deren Bewältigung zu interessieren. Er verlängert seine Selbstsicherung und lehnt sich weit aus der Wand hinaus. Tatsächlich erspäht er auch auf der linken Variante eine Hakenöse ein paar Meter oberhalb von mir, die ich aus meiner Position nicht sehen konnte und ruft mir zu „Hey Rainer, da oben ist ein Haken." Ich kann förmlich spüren, wie ich wieder Auftrieb und Entschlossenheit zurückbekomme: einerseits erleichtert mir der offene Umgang mit der bestehenden Unsicherheit meine eigenen Emotionen zu handhaben und zweitens zeigt

Ludwigs Beobachtung, dass es doch über links gehen muss ... Genau da ist ein Seitgriff, und wenn man weiß, dass es links weitergeht, traut man sich viel eher, sich daran nach links hinauszulehnen und ... plötzlich ist da eine versteckte Leiste, ein guter Griff und die delikate Passage ist gemeistert. Wow! Sensationelle Kletterstellen folgen, dann endlich der Haken und weiter geht es in begeisternden Bewegungsfolgen in allerbestem Marmolata-Fels nach oben.

Während der Zweifel längst wieder verflogen ist und einem rhythmischen Kletterfluss Platz gemacht hat, denke ich mir: „Wie gut, dass ich dem Ludwig mein Nichtwissen einfach offen mitgeteilt habe. Nie wäre er sonst auf die Idee gekommen ebenfalls nach Haken und dem Routenverlauf zu suchen, sondern hätte sich einfach nur auf seine Sicherungsaufgaben konzentriert. Ich hätte versucht nach außen cool zu wirken, während ich innerlich immer verkrampfter geworden wäre. Und in weiterer Folge hätte ich vielleicht eine dumme Entscheidung getroffen oder gar einen fatalen Kletterfehler gemacht ..."

Auch für Führungskräfte in Unternehmen häufen sich uneindeutige Entscheidungslagen. Einer der dümmsten Fehler, die man dabei machen kann, ist dort wo man nicht weiß so zu tun, als ob man wüsste. Führungskräfte machen dies trotzdem, weil sie fürchten Mitarbeiter mögen Unsicherheit nicht und das Vertrauen in die Führung würde sinken. Doch genau das Gegenteil ist der Fall. Menschen spüren ganz genau, ob jemand etwas wirklich weiß oder ob er nur so tut als ob er wüsste. Zweiteres macht Menschen misstrauisch, weil sie spüren, dass irgendetwas nicht stimmt. Ein offener Umgang mit Nicht-Wissen hingegen schafft Vertrauen. Man sollte sich vor Augen führen, dass dieses NichtWissen ja meist nur auf einige Aspekte beschränkt ist. Es empfiehlt sich also in solchen Situationen ganz klar zu kommunizieren, was man mit Gewissheit weiß und was man eben noch nicht weiß und erst herausfinden muss. Das stärkt übrigens nicht nur das Vertrauen, sondern auch den Bewältigungsglauben der Mitarbeiter sowie die Bereitschaft mitzudenken. Die Bewältigung von Ungewissheit braucht keine Super-Heroes als Führungskräfte, sondern einen produktiven Umgang mit Nicht-Wissen. Das erzeugt Mitdenken, Kreativität und Lösungsideen auf breiter Basis.

▲ *Ludwig in „Don Quixote", VI+, Marmolada-Südwand, Dolomiten, Italien, 1997*

I don't know!

We had left quite early this morning, long before sunrise, so that we could start the climb at first daylight. By now, it is mid-afternoon and we already have 600 meters (almost 2,000 feet) of air under our soles. We are in the middle of the fantastic slabs of the Don Quixote route on the south face of the Marmolada, in the Dolomites. I have to admit that I am already a bit tired and above all my toes hurt like hell because of the tight climbing shoes. To lead such a route as a mountain guide – that really means to climb every single pitch belayed from below – is even more difficult than doing it with a climbing partner who is my equal.

I am facing the crux and now, of all times, a slight doubt comes up in me. There are two possibilities to climb further. On the right, the variant of the second ascent follows an overhanging crack with a lot of pitons – an obvious but quite exhausting route, though I would like to avoid that. On the left, a lead-climbing route with elegant free climbing leads directly over the slabs further up. Or rather, I should say "should lead" because I can see no pitons far and wide. Straight up there doesn't seem to be a way, neither over the left nor over the right. Should I go for the ugly looking crack after all? I almost feel sick at the thought of the unpleasant climbing. On the other hand, I can't take any risks here, I'm a mountain guide with a paying client.

Ludwig, my client, seems to notice my uncertainty and asks: "Rainer, how do we get up there?" I answer quite spontaneously and without thinking for long: "Ludwig, I don't know HOW ... I only know THAT we'll find a way." Ludwig is now beginning to take a greater interest in the situation and how to deal with it. He extends his self-protection a bit and leans far out from the wall. On the left variant he actually spots a piton's eye a few feet above me, which I couldn't see from my position, and calls out to me, "Hey Rainer, there's a piton up there." I can literally feel my energy and determination returning: on the one hand, my honest handling of my insecurity makes it easier for me to manage my own emotions and, on the other hand, Ludwig's observation shows that there has to be a way to the left ... Exactly here, there is a sideways handhold and, knowing that there is a way to the left, you are much more likely to lean out to the left and ... suddenly, there's a hidden crimp, a good handhold and this delicate passage is mastered. Wow! Sensational climbing sections follow, then finally the piton, and on we go up in exciting sequences of movements on the very best Marmolada rock.

While my doubt has long since vanished and given way to a rhythmic climbing flow, I think to myself: "It's good that I simply communicated my not knowing the answer to Ludwig openly. Otherwise, he would never have thought of looking for pitons and the route as well but would have just concentrated on his belaying tasks. I would have tried to appear cool on the outside while becoming more and more tense on the inside. And as a consequence, I might have made a stupid decision or even a fatal climbing mistake ..."

Managers in companies also are more frequently facing uncertainty in decision-making. One of the most stupid mistakes you can make is to pretend you know the answer when you don't know the answer. Managers do this anyway because they fear that employees don't like uncertainty and that therefore their trust in the management would decrease. But exactly the opposite is the case. People sense very clearly whether someone really knows something or whether they are just pretending to know. The latter makes people suspicious because they sense that something isn't right. An open approach to not knowing, however, creates trust. One should bear in mind that this not knowing is usually limited to only a few aspects. It is therefore advisable in such situations to communicate clearly what you know with certainty and what you don't know yet and have to find out first. By the way, this not only strengthens trust, but also the employees' belief that they can cope and their willingness to think for themselves. Coping with uncertainty doesn't require managers to be super-heroes, but it requires them to take a productive approach to not knowing something. This generates independent thinking, creativity and ideas for solutions on a broader basis.

Coping with uncertainty doesn't require managers to be super-heroes, but it requires them to take a productive approach to not knowing something. This generates independent thinking, creativity and ideas for solutions on a broader basis.

Ich brauch Hilfe!

Im Sommer 1985 steigen Sepp Bierbaumer und ich wieder einmal gemeinsam in eine extreme Dolomitentour ein: die berühmte Carlesso-Sandri-Route an der Südwand des Torre Trieste in der Civetta-Gruppe. Ohne nennenswerte Probleme und Zwischenfälle steigen wir in Wechselführung nach oben. Ich bin in der Verschneidung unterhalb der Schlüsselstelle zum Vorsteigen dran. Eine abdrängende Stelle in der unguten Verschneidung lässt mich nach einer Möglichkeit suchen, eine zusätzliche Zwischensicherung unterzubringen. Mir gelingt es, einen Friend – das ist eine flexible Segmentklemme – in einem Felsspalt zu platzieren. So verfüge ich über eine solide Sicherung, um die vor mir liegenden Schwierigkeiten einigermaßen entspannt zu bewältigen. Ich komme am Standplatz unterhalb der Schlüsselstelle an. Während ich eine Ausgleichsverankerung aufbaue, um Sepp daran nachzusichern, schaue ich mir die direkt über mir liegende Schlüsselstelle, eine kompakte, glatte und zudem leicht überhängende Platte, genauer an. So gut wie keine Griffe sind zu sehen und ich denke still bei mir: „Gott sei Dank ist Sepp da zum Vorsteigen dran …“

Doch es sollte anders kommen: als Sepp die Stelle mit dem Friend erreicht und diesen aus dem Felsspalt entfernen will, verkeilt sich dieser und lässt sich nicht mehr bewegen. Sepp hängt ein paar Meter unter mir an einer Hand mit 400 Meter Luft unter den Sohlen an einer überhängenden Stelle und bekommt den blöden Friend nicht aus dem Spalt. Ich nehme das Seil ein bisschen strammer. Sepp schreit, „Lass locker, sonst bekomm ich das Ding überhaupt nicht raus!" Also gebe ich das Seil wieder nach. Sepp flucht, ich kann seinen Kampf förmlich spüren. Dann endlich, nach einer gefühlten Ewigkeit, hat er es geschafft und der Friend samt Zwischensicherung baumelt an seinem Klettergurt. Schnaufend erreicht er den Standplatz. Seine Unterarme sind von dem kraftraubenden Manöver steinhart und völlig aufgebläht.

Er wäre jetzt zum Führen dran. So lauten die Regeln. Ein unreifer Kletterer würde jetzt seine Kühnheit unter Beweis stellen wollen und, so wie es die Regeln verlangen, die nächste Seillänge im Vorstieg in Angriff nehmen. Nicht so Sepp. Er schaut kurz hinauf zur Schlüsselstelle, dann auf seine Unterarme und schließlich in meine Augen: „Rainer, kannst du …?"

Mehr braucht er nicht zu sagen. Ich nehme wortlos die Schlosserei, die Karabiner und Klemmkeile, von seinem Klettergürtel und übernehme wieder die Führung. Die Schlüsselstelle klappt gut. Danach haben sich Sepps Unterarme wieder erholt und er nimmt die

Seillänge mit dem luftigen Quergang im Vorstieg in Angriff.

Beim Nachklettern im Quergang greife ich in eine der Zwischensicherungen und sehe nicht, dass sich der Schnapper des Karabiners über die Hakenöse gelegt hat ... genau in dem Moment, als ich die Sicherung voll belaste, öffnet sich der Karabiner und ich fliege in hohem Bogen aus der Wand. Ein Pendelsturz und ich klatsche fünf Meter unterhalb von Sepp an die Wand. Ich habe eine schmerzhafte Knöchelprellung am linken Bein und einen kleinen blutigen Riss am Knie, sonst Gott sei Dank nichts. Die Hauptschwierigkeiten sind glücklicherweise hinter uns. Ich kann noch klettern, aber an das Vorsteigen ist nicht mehr zu denken, zu groß sind die Schmerzen.

Muss ich Sepp groß um Hilfe bitten? Nicht ein Wort muss ich sagen, vollkommen selbstverständlich übernimmt Sepp für die restlichen Seillängen die Führung ...

Was am Berg völlig normal ist, ist im Management eher die seltene Ausnahme. Hier ist es nicht angebracht, um Hilfe zu bitten. Und auch nicht, Hilfe anzubieten. Schnell schwingt dabei die Vermutung mit, der andere könnte meinen, man schafft es nicht allein. Unmöglich, ein solches Angebot anzunehmen!

Besonders stark ausgeprägt ist das Einzelkämpfertum noch immer in vielen Führungskreisen. Es wird nicht ohne Grund davon gesprochen, dass die Luft hier „besonders dünn ist". Je weiter Mitarbeiter auf der Karriereleiter vorankommen, desto einsamer werden sie in der Regel. Und umso mehr verfestigt sich die Überzeugung, dass von Führungskräften erwartet wird, dass sie die Dinge stets allein in den Griff kriegen. Hilfe annehmen oder Fragen stellen wird vielfach noch als Schwäche ausgelegt und ist in diesen Kreisen sehr oft noch immer tabu. Dabei bräuchte es gerade auf der Führungsebene Austausch und Absprache.

Um das gegenseitige Helfen in Unternehmen zu einer Selbstverständlichkeit zu machen, habe ich viele meiner Kunden dabei unterstützt, Peer Consulting zu etablieren. Bei Peer Consulting handelt es sich um eine einfache Gesprächsstruktur für kleine Gruppen von drei bis vier Personen, in welchen Führungskräfte anderen Kollegen auf Augenhöhe schwierige Führungssituationen oder geschäftliche Herausforderungen schildern und anschließend eine Außenperspektive von den anderen Kollegen dazu bekommen. Der allerwichtigste Aspekt dabei ist gar nicht die Gesprächsstruktur, sondern dass es für viele Führungskräfte nach diesen formalen Peer Consulting-Runden selbstverständlich wird, sich auch zwischendurch informell um gegenseitigen Rat zu bitten. In ausschließlich allen Unternehmen, die diesem Rat gefolgt sind, hat sich die Qualität der Entscheidungen signifikant verbessert.

◄ *Torre Trieste Südwand, Dolomiten, Italien*

I need help!

In the summer of 1985, Sepp Bierbaumer and I once again set off together on an extreme climbing trip in the Dolomites: the famous Carlesso-Sandri route on the south face of Torre Trieste, in the Civetta group. Without any noteworthy problems and incidents we climb up, taking turns to lead. I'm in the dihedral below the crux and it's my turn to lead. An awkward spot in the less than ideal dihedral makes me look for somewhere to place an additional belay. I manage to place a Friend – which is a flexible camming device – in the crevice. This way I have a solid belay point to cope with the difficulties in front of me in a more or less relaxed way. I arrive at the belay point below the crux. While I set up a solid anchoring system to secure Sepp's seconding, I take a closer look at the crux directly above me – a compact, smooth and slightly overhanging slab. There are almost no handholds to be seen and I silently think to myself: "Thank God it's Sepp's turn to lead …"

But it was to turn out differently: when Sepp reaches the place with the Friend and wants to remove it from the crevice, it gets jammed and can no longer be moved. Sepp hangs a few meters below me on one hand 400 meters (1,300 feet) up in the air, on an overhang and can't get the stupid Friend out of the crevice. I take the rope a little tighter. Sepp yells, "Give me some slack, or I'll never get this thing out!" So I ease off the rope. Sepp curses and I can literally feel him struggling. Then finally, after what feels like an eternity, he has made it and the Friend with the quickdraw is dangling from his climbing harness. Panting, he reaches the belay point. His forearms are rock hard and completely puffed up from that strength-sapping maneuver.

It would be his turn to lead now. Those are the rules. An immature climber would now want to prove his boldness and, as the rules require, tackle the next pitch in the lead. Not so Sepp. He looks up briefly to the crux,

▼ Mit Sepp Bierbaumer am Torre Trieste, Carlesso-Sandri Route, Dolomiten, Italien 1985

then at his forearms and finally into my eyes: "Rainer, can you …?"

He doesn't need to say any more. Without saying a word I take the hardware, the carabiners and wedges, from his climbing belt and take the lead again. The crux goes smoothly. By then, Sepp's forearms have recovered and he tackles the pitch with the airy traverse in the lead.

When I follow Sepp on the traverse, I reach into one of the quickdraws and don't see that the carabiner's gate has slid over the piton's eye … Exactly at the moment when I put my full load onto the belay, the carabiner opens and I fly out from the wall in a high arc. It's a pendulum fall and I slam into the wall five meters (16 feet) below Sepp. I now have a painful bruise on my left ankle and a small bloody tear on my knee, but nothing else, thank God. Fortunately, the main difficulties are behind us. I can still climb, but I can forget about leading because I'm in too much pain.

Do I have to beg Sepp for help? No, I don't have to say a word; of course Sepp will take the lead in the remaining pitches …

What is completely normal while climbing a mountain together is rather the rare exception in management. Here it's just not appropriate to ask for help, nor to offer help. Soon you start to suspect that the other person might think you can't do it alone. No way would you accept such an offer!

The lone warrior mentality is still particularly entrenched in many leadership circles. It's not without reason that we refer to "a thin air atmosphere." The further employees scale up the career ladder, the lonelier they usually become. And the more the conviction becomes entrenched that managers should always be able to deal with things on their own. Accepting help or asking questions is still mostly interpreted as a weakness

and is taboo in these circles. Yet it is precisely at the management level that exchange of ideas and consultation are needed.

In order to make mutual help in companies a matter of course, I have supported many of my customers in establishing peer consulting. Peer consulting is a simple conversation structure for small groups of three to four people, in which managers describe difficult leadership situations or business challenges to other colleagues at eye level and then get an outside perspective from the other colleagues. The most important aspect is not the structure of these conversations, but that after these formal peer consulting rounds it becomes a matter of course for managers to ask each other informally for advice now and then. In all the companies that have followed this advice, the quality of decisions has improved significantly.

Das Ungewisse surfen

Unberührt liegt er vor mir, der tief verschneite Hang. Keine einzige Spur durchschneidet die gleichmäßige Fläche, die in der Wintersonne glitzert. Die klare kalte Luft beißt in meine Wangen. Gleich kommt der Moment, in dem ich mich von der Kante abstoße und mich auf das Abenteuer Tiefschnee-Hang einlasse. Ich plane meine Schwünge nicht im Detail, es würde nicht funktionieren. Es gibt zu vieles, das ich von hier oben aus nicht klären und einschätzen kann: Ich kann nicht wissen, wie der Untergrund beschaffen ist, wo eventuell Löcher drohen und wie hoch der Schnee an der einen oder anderen Stelle liegt.

Ich werde das in dem Augenblick wissen, in dem meine Ski mit dem jeweiligen Abschnitt in Berührung kommen. Nicht vorher. Deshalb wird sich meine finale Linie erst entwickeln, während ich fahre. Von hier oben schon zu fixieren, wo ich eine Kurve fahre oder wo der beste Platz zum Stehenbleiben ist, wäre verschwendete Zeit. Denn vielleicht würde sich schon bei der ersten geplanten Kurve herausstellen, dass die Stelle gar nicht geeignet ist für einen Schwung. Alles, was ich mental vorab tue, ist, offen zu sein für das, was da kommt. Ich muss den Hang nicht beherrschen, ich lasse mich von ihm leiten. Ich muss mich auch nicht anstrengen, um da hinunter zu kommen.

Tiefschneefahren ist nicht harte Arbeit, auch wenn gerade die ungeübten Skifahrer es so begreifen. Die kämpfen sich den Hang hinunter. Keuchend und voller Anspannung versuchen sie, dem Hang eine – ihre – geplante Linie aufzuzwingen. Sie verstehen nicht, dass es nicht nur der Fahrer ist, der bestimmt, wo die Kurve zu setzen ist, sondern dass sich eine ideale Linie immer aus einer lebendigen Interaktion des Fahrers mit dem Hang ergibt. Der Kraftaufwand ist viel zu hoch, wenn der Fahrer mit dem Hang kämpft; wenn er ihm seinen Weg aufzwingen will, und sich dabei total verkrampft. Denn dort am Hang wirken unverhältnismäßig größere Kräfte, als ein Skifahrer sie auf Dauer aufbringen kann.

Das Geheimnis des Tiefschneefahrens ist, den Widerstand gegen den Hang aufzugeben. Dann wirkt die Schwerkraft in meinem Sinne. Ich muss nicht aktiv mit Anstrengung nach unten fahren, sondern es ist die Schwerkraft, die mich hinunterträgt: Nicht ich fahre aktiv in das Tal, sondern das Tal kommt mir entgegen – ab dem Moment, in dem ich den Widerstand aufgebe. Ich arbeite mit den Kräften, die da sind. Ich für meinen Teil muss nur die tragenden Faktoren in der Schneedecke

aufspüren und rhythmisch mein Tempo dosieren. Mein Ziel ist nicht, die Kräfte zu kontrollieren – das wird mir sowieso nicht gelingen. Sie sind unkontrollierbar. Und doch kann ich sie nutzen und mit ihnen spielen.

Das, was die Ungeübten beim Tiefschneefahren vermissen, ist Sicherheit und Stabilität. Beides gibt es im herkömmlichen Sinne dabei nicht. Die einzige Sicherheit, die ich beim Tiefschneefahren habe, ist meine persönliche Sicherheit, dass ich die Situation beherrschen kann. Sie gibt mir die unverkrampfte Anspannung, die gelassene Aufmerksamkeit für den Moment, die Offenheit, auf jede noch so überraschende Entdeckung schnell zu reagieren. Die Instabilität nutze ich, um jeden Augenblick für eine neue Bewegung, eine neue Richtung bereit zu sein. Die Instabilität ist mein Freund. Ich fühle mich bereit, das Unkontrollierbare zu kontrollieren. Und jetzt ist der Moment gekommen: ich hole noch einmal tief Luft und stoße mich von der Kante ab …

Die meisten Pistenskifahrer tun sich zu Beginn sehr schwer, wenn sie Tiefschneefahren wollen. Im Tiefschnee hat nämlich beim Richtungswechsel das Umsteigen von einem Ski auf den anderen, welches sie von der präparierten Piste kennen, ausgedient. Ein neues Bewegungsmuster ist gefordert.

Wenn Sie als Unternehmer oder Top-Manager erfolgreich auf den neuen *Tiefschneehängen der Digitalisierung, Globalisierung und Innovation* fahren wollen, sollten Sie ebenfalls Ihr Bewegungsmuster anpassen. Beim Skifahren heißt dies: gleichmäßiges Belasten der Ski. Im Unternehmen: „Surfen" auf der Welle der Veränderung, in Echtzeit aufspüren, was trägt und permanent die Stabilität und notwendige Dynamik ausbalancieren. Wenn Ihnen dies gelingt, ist Ungewissheit auch nichts Bedrohliches, sondern eine Einladung - eine Einladung der Zukunft, etwas Großartiges aus ihr zu machen und sie zu gestalten. Wer von der Annahme ausgeht, einen perfekten Plan machen zu können, der geht davon aus, dass die Zukunft vorherbestimmbar und damit planbar ist. Das ist meiner Meinung nach nicht möglich. Sie ist aber gestaltbar. Um einen erfolgreichen Weg in die Ungewissheit zu gehen, ist es allerdings notwendig, Sicherheiten zurückzulassen. Nur dann können Sie Zukunft gestalten. Das ist ein Eintrittspreis, den es sich aber definitiv lohnt, zu zahlen.

Es gibt nur einen Weg, ein altes Bewegungsmuster durch ein neues zu ersetzen: Streben Sie nach vorübergehender Inkompetenz! Geben Sie sich und Ihren Mitarbeitern Raum für Experimente. Experimente VON Menschen, und nicht AN Menschen, wohlgemerkt. Drei Faktoren sind dabei wichtig: ein neues Bewegungskonzept im Kopf, Übung und das Vertrauen, sich beim Hinfallen nicht allzu weh zu tun. Durch das schrittweise Ausprobieren und Experimentieren verschwindet die Angst vor dem Scheitern. Ein perfektes Endergebnis ist erstmal zweitrangig. Viel wichtiger ist, immer ein Stück besser zu werden.

Leader: Wenn Ihr, also Du und Dein Team, Erfahrungen macht, dass das neue Bewegungsmuster funktioniert, wird die Ungewissheit automatisch zu Eurem Freund. In jedem Team gibt es ein paar Mutige, die sich zuerst trauen. Die anderen folgen nach und nach. So wird die Lust, das Ungewisse zu surfen im Unternehmen im positiven Sinne ansteckend.

Surfing uncertainty

Untouched it lies in front of me, the deep snowy slope. Not a single track cuts through the even surface glistening in the winter sun. The clear, cold air bites my cheeks. In a moment, I will push off the edge and enter into the adventure of the deep snow slope. I don't plan my turns in detail; it wouldn't work. There are too many things that I can't clarify and assess from up here: I can't know what the ground is like, where there might be holes and how high the snow is at one point or another. I will know this the moment my skis come into contact with the respective section. Not before. Therefore, my final line will only develop as I'm skiing down. To determine from up here where I am going to make a turn or where the best place to stop is, that would be a waste of time, because the first planned turn might soon tell me that this is not the place for a swing. All I do mentally in advance is to stay open for what is coming. I don't have to control the slope, I let myself be guided by it. I don't even have to make an effort to get down there.

◄ *Rainer Petek, Tiefschneeabfahrt am Großen Geiger, Venedigergruppe, Österreich, 1997*

Deep-snow skiing is not hard work, even if inexperienced skiers in particular understand it to be that way. They fight their way down the slope. Gasping and full of tension, they try to force a planned line – their line – onto the slope. They don't understand that it is not only the skier who decides where to set the curve, but that an ideal line always results from a lively interaction between the skier and the slope. The effort required by the skier is far too high when he struggles with the slope because he wants to force his way on it, becoming totally tense in the process. For there, on the slope, disproportionately greater forces are at work than a skier can apply in the long run.

The secret of deep-snow skiing is to give up resistance to the slope. Then gravity works in my favor. I don't have to actively descend with effort, but it's gravity that carries me down: It's not me who actively descends into the valley, but the valley comes towards me – from the

moment I give up my resistance. I work with the forces that are there. For my part, I only have to sense the load-bearing factors in the snow cover and rhythmically control my pace. My goal is not to control the forces – I won't succeed anyway because they are uncontrollable. And yet, I can use them and play with them.

What inexperienced skiers miss in deep-snow skiing is safety and stability. There are no such things here, in the conventional sense. The only security I have in powder-snow skiing is my own certainty that I can control the situation. It gives me the relaxed tension, the calm attention to the moment, and the openness to react quickly to any discovery, however surprising. I use the instability to be ready for a new movement, a new direction at any moment. Instability is my friend. I feel ready to control the uncontrollable. And now the moment has come: I take another deep breath and push myself off the edge …

Most groomed-run skiers find it very difficult at first when they want to ski in deep powder snow. That's because in deep powder snow, when making a turn, changing from one ski to the other – which is what they are used to doing on the groomed run – has outlived its usefulness. A new pattern of movement is required.

If you, as an entrepreneur or top manager, want to successfully ski on the new *deep powder-snow slopes of digitalization, globalization and innovation*, you should also adapt your pattern of movement. When skiing, this means: evenly balancing your weight on both skis at every moment. In business, this means: "surfing" the wave of change, sensing in real time what is carrying you and constantly balancing stability and the necessary dynamics. If you succeed in this, uncertainty is not a threat but an invitation. An invitation by the future to make something great out of it and shape it. If you assume that you can make a perfect plan, then you assume that the future can be predicted. This is not possible, in my opinion. But certainly it can be shaped. However, to take a successful path into uncertainty, you need to leave behind certainties. Only then can you shape the future. It's a kind of entrance fee that is definitely worth paying.

There is only one way to replace an old movement pattern with a new one: strive for temporary incompetence! Give yourself and your employees room for experiments. I should qualify, experiments BY people, not ON people. Three factors are important here: getting a new concept of movement in your head, practice and the confidence that you won't hurt yourself too much if you fall down. By trying and experimenting step by step, fear of failure disappears. At first, a perfect end result is not that important. It's much more important to keep getting a little bit better each time.

Leader: As you and your team gain experience and notice that the new movement pattern works, uncertainty automatically becomes your friend. In every team there are a few courageous people who dare to take the first step. The others then follow, little by little. In this way, the desire to surf uncertainty becomes contagious in the company, in a positive sense.

Einzelne & ein
Team aus Teams

Pfingsten 1984. Wie jedes Jahr treffen wir uns alle im Nationalpark Paklenica im Velebit-Gebirge in Kroatien. Die bizarre Felslandschaft hat nicht nur als Filmkulisse für den „Schatz im Silbersee" gedient, sondern ist auch seit Jahren jedes Jahr zu Pfingsten ein fixer Treffpunkt für unsere Kletterrunde. Hier sind die Temperaturen im Mai und Juni schon perfekt zum Klettern. Die Paklenica-Schlucht bietet mit bis zu 450 Meter hohen Wänden mit fantastischen Kletterrouten in scharfem, rauem Karstkalk perfekte Möglichkeiten, um sich für den Klettersommer im Gebirge in Form zu bringen. Jedes Jahr sind etwa 15 bis 20 Leute dabei, um in vier bis fünf Tagen so viel und so schwer wie möglich gemeinsam zu klettern.

◄ *Anića Kuk, Nordwest-Wand, Klin Route, Velebit, Kroatien, 1984*

Obwohl die einzelnen Kletterrouten eigentlich immer nur in Zweier-Teams geklettert werden, fühlen wir uns eher als ein großes Team, als ein Team aus Teams. Dazu tragen nicht nur die gemeinschaftlichen Abende am Lagerfeuer bei, an denen die Erfahrungen des abgelaufenen Tages ausgetauscht und die Pläne für den nächsten Tag und darüber hinaus geschmiedet werden. Vor allem das Klettern in wechselnden Teamzusammensetzungen und immer wieder mit neuen Partnern unterwegs zu sein, ist es, das diesen Gemeinschafts-Spirit erzeugt. Da uns alle das gemeinsame Anliegen eint, möglichst schwierige Routen zu klettern und wir uns auf die gleichen Seil- und Sicherungstechniken verständigt haben, funktioniert das Zusammenspiel während der Touren auch in ständig unterschiedlichen Teamkonstellationen reibungslos.

Auch wenn der Teamgedanke zentral ist, wird der Einzelne jedoch seinen Platz in dieser Gemeinschaft nur dann bekommen und behalten, wenn er die entsprechenden und erwarteten Einzelbeiträge liefert: wenn er ein verlässlicher Kletterpartner ist und seine Rolle in der Seilschaft wie vereinbart wahrnimmt. Wir klettern nach dem Prinzip der Wechselführung, und wenn ich zum Beispiel zum Vorsteigen dran bin und ich zehn Meter über dem letzten Haken eine schwierige Kletterstelle meistern muss, dann kann ich mich nicht einfach zurücklehnen und hoffen, dass diesen Job jemand anderer aus dem Team für mich erledigt. Ich bin jetzt gefordert und habe zu liefern. Wenn ich die Stelle nicht schaffe, werde ich zurückklettern oder abseilen und mein Kletterpartner wird es an meiner statt versuchen. Solche Manöver kosten Zeit. Wenn dies hin und wieder vorkommt, ist das kein Problem, es ist sogar eher normal. Wenn es dauernd vorkommt, bin ich nicht der richtige Partner und nicht im richtigen Team.

Die gemeinsamen Klettertage zu Pfingsten 1984 werden, neben dem großartigen Gemeinschaftserlebnis, für alle Kollegen und auch für mich persönlich zu einem vollen Erfolg. Mir gelingt an einem der Tage die Traumroute „Klin" an der Nordwestwand des Anića Kuk gemeinsam mit Thomas Kappl. Ich bin an der überhängenden Schlüsselseillänge im oberen sechsten Schwierigkeitsgrad zum Führen dran und kann diese spektakuläre Passage ohne größere Probleme im Vorstieg meistern. Ich empfehle mich damit auch als Kletterpartner für noch größere Touren und noch erfahrenere Kollegen wie zum Beispiel Sepp Bierbaumer. Dass diese gemeinsamen Tage in der Paklenica-Schlucht die Grundlage für unseren späteren Erfolg im Juli an der *Nordwand* der Grandes Jorasses sein würden, konnte ich zu Pfingsten noch nicht wissen.

In Unternehmen werden Fragen rund um das Thema Teamwork oft sehr *digital* diskutiert, nach dem Motto *entweder ... oder*: z.B. entweder Einzelarbeit oder Teamarbeit. Ich habe beim Klettern gelernt, dass es für den Erfolg auf Einzelleistung UND Teamleistung ankommt. Und am besten definiert man sein Team noch etwas größer: als ein Team aus Teams. Gerade im Unternehmen ist nicht viel gewonnen, wenn jemand sein Team optimiert, dies jedoch auf Kosten anderer Teams oder gar des Gesamterfolgs geht.

Am Berg und im Business kommt es auf ein paar zentrale Dinge an, wenn man gemeinsam Erfolg haben will, und zwar gemeinsame Klarheit und Commitment zu folgenden Punkten:

> ‣ zu einem übergeordneten Ziel, Anliegen oder Auftrag UND zu konkreten Handlungszielen;
> ‣ zur eigenen individuellen Rolle, daran geknüpfte Aufgaben sowie individuelle Beiträge bzw. Einzelziele UND die Bereitschaft sich gleichzeitig zurückzunehmen und das zu tun, was für den übergeordneten Gesamterfolg notwendig ist;
> ‣ zu den Prozessen des Planens und Entscheidens;
> ‣ zu den Regeln des Zusammenspiels im Team und in der Interaktion mit anderen Teams.

Unabhängig davon, ob man am Berg oder im Business unterwegs ist, bewähren sich ein paar Universalregeln: Die Beiträge und Ideen eines jeden sind willkommen und gefordert. Wenn es etwas gibt, das alle oder mehrere betreffen könnte, kommt es so früh wie möglich auf den Tisch. Egal ob nach der Bergtour oder nach der Entscheidung im Team-Meeting: danach erzählen alle die gleiche Geschichte. Voraussetzung dafür ist, dass jeder seine Rolle im Team und den übergeordneten Gesamterfolg zumindest gleich wichtig nimmt wie seine individuellen Aufgaben und persönlichen Interessen.

Leader: Was tust Du, um gemeinsame Klarheit und Commitment zu den oben genannten Punkten zu erzeugen? Wie konsequent bist Du, wenn Einzelne nicht mitziehen? Was tust Du, um nicht nur den Team-Geist, sondern auch den *Geist vom Team aus Teams* zu nähren?

Individuals & a team of teams

Pentecost 1984. Like every year, we all meet in Paklenica National Park in the Velebit Mountains in Croatia. This bizarre rocky landscape has not only served as a film set for The Treasure of Silver Lake, *but has also been a fixed meeting point for our climbing group every year at Pentecost. The temperatures here in May and June are already perfect for climbing. The Paklenica gorge, with its walls up to 450 meters (almost 1,500 feet) high with fantastic climbing routes in sharp, rough karst limestone offers perfect opportunities to get in shape for the summer of mountain climbing. Every year, 15 to 20 people join in to climb as much and as hard as possible together in four to five days.*

Anića Kuk, Nordwest-Wand, Velebit, Kroatien ▶

Although the individual climbing routes are actually only ever climbed in teams of two, we feel more like a bigger team – like a team of teams. It's not just because of the evenings we spend sitting around the campfire together, where we exchange our experiences of the past day and make plans for the next day and beyond. It is, above all, our climbing in changing team compositions and being with a new partner on each climb that creates this community spirit. Since we all share the same purpose, to climb the most difficult routes possible, and have agreed on the same rope and belay techniques, the teamwork during these trips works smoothly even with constantly changing team constellations.

Even though the team spirit is central, individuals will only get, and keep, a place in this community if they make their individual contributions that are appropriate and expected of them; that is, if they are reliable climbing partners and fulfil their role in the rope team as agreed. We climb according to the principle of alternating leadership. For example, when it's my turn to lead, and I have to master a difficult climbing pitch three feet above the last piton, I can't just sit back and hope that someone else from the team will do the job for me. I am now required to deliver. If I don't manage the pitch, I will climb back or rappel and my climbing partner will try it in my place. Such maneuvers take time. If this happens from time to time, it's not a problem; in fact, it's quite normal. If it happens all the time though, I'm not the right partner and not in the right team.

The joint climbing days at Pentecost 1984 turn out to be, besides a great community experience, a complete success for all my colleagues as well as for me personally. On one of the days I succeed in climbing the dream route "Klin" on the northwest face of Anića Kuk, together with Thomas Kappl. I have to lead on the overhanging key pitch, which is a Grade 6+, and I am able to master this spectacular passage without any major problems in the lead. I've thereby recommended myself as a climbing partner for even bigger trips and even more experienced colleagues like Sepp Bierbaumer. I couldn't have known yet that those days spent together in the Paklenica gorge at Pentecost would be the basis for our later success in July on the north face of the Grandes Jorasses.

In companies, questions about teamwork are often discussed very digitally, according to the motto *either … or*: for instance, either individual work or teamwork. I learned through climbing that success depends on both individual AND team performance. And it's best to define your team a little bigger: as a team of teams. Especially in a company, there is not much to be gained by optimizing your own team if this is at the expense of other teams or the company's overall success.

Whether you're in the mountains or in business, a few key things are essential if you want to be successful together, namely shared clarity about and commitment to the following:

- an overarching goal, concern or mission AND concrete goals for action;
- one's own individual role and tasks associated with it, as well as individual contributions or goals, AND, at the same time, the willingness to put yourself in the background to do whatever is necessary for overall success;

- the processes of planning and decision-making; and
- the rules of conduct to be applied in interacting within the team and in interacting with other teams.

Regardless of whether you are in the mountains or in business, a few universal rules prove their worth: Everyone's contributions and ideas are welcome and encouraged. If there is something that could affect all or several participants, it will be put on the table as early as possible. Whether after a mountain tour or after a decision made in a team meeting, afterwards, everyone tells the same story. The prerequisite for this is that everyone considers their role in the team and in the overall success to be at least as important as their individual tasks and personal interests.

Leader: What do you do to create common clarity and commitment to the above-mentioned points? How consistent are you when individuals don't follow the joint agreements? What do you do to foster not only the team spirit but also the spirit of the *team of teams*?

ÜBERGÄNGE
TRANSITIONS

Stärken entdecken

Rückblickend betrachtet glaube ich, dass es niemals einen untalentierteren Menschen gegeben hat, der Kletterer werden wollte, als mich. Als ich 1981 mit dem Klettern begann, war ich gerade 16 Jahre alt geworden, in den letzten zwölf Monaten 15 Zentimeter gewachsen und konnte meinen schlaksigen Körper kaum koordinieren. Ich tat mir unheimlich schwer – so schwer, dass ich zu Beginn dachte, ich müsste es wieder sein lassen. Da ich jedoch hartnäckig blieb, konnte ich, zwar sehr langsam aber doch, Fortschritte erzielen. Nach drei Jahren diszipliniertem und hartem Training gelangen mir dann wirklich große Routen wie zum Beispiel die Nordwand der Grandes Jorasses.

Ludwig in der Verdon-Schlucht, Provence, Frankreich, 1996 ▶

◀ Klettern im Wilden Kaiser, Tirol, Österreich, 1985

Ein paar körperliche Voraussetzungen waren allerdings für eine Spitzenkletterkarriere nicht wirklich förderlich: An meiner Körpergröße von 1,92 Metern war nun einmal nichts zu ändern und mein Körpergewicht pendelte sich während meiner aktivem Kletterzeit, so sehr ich auch trainierte und auf die Ernährung achtete, bei etwa 84 Kilo ein. Ich war und blieb für einen Extremkletterer einfach relativ groß und schwer. Zu Größe und Gewicht kam außerdem noch der Umstand, dass ich von Natur kein wirkliches Bewegungstalent besaß. Neue Bewegungsmuster musste ich mir immer erst mühsam aneignen und durch viele Wiederholungen festigen, was in einer längeren Lernkurve im Vergleich zu anderen Kletterern resultierte.

So war es dann nur natürlich, dass ich mich später, als ich mich als Profibergführer dazu entschied meinen Kunden geführte Extremtouren anzubieten, meinen talentierteren und leichteren Kollegen gegenüber im Nachteil fühlte. Ich nahm an, dass Kunden viel lieber mit einem Bergführer auf Extremtouren unterwegs sein würden, welcher dem typischen Bild eines Extremkletterers entsprach: sehnig, drahtig, klein bis mittelgroß. Nichts davon traf auf mich zu. Zudem kletterten diese Kollegen meist auch noch besser als ich selbst. Auch das ließ mich zunächst zweifeln, ob ich mit meinen Voraussetzungen als Bergführer für Extremrouten überhaupt eine Marktchance haben würde. Ich hatte, wie mir allerdings erst später bewusst wurde, die ganze Sache nur aus meiner inneren Perspektive beurteilt und dabei die Perspektive der Kunden sowie deren subjektive Wahrnehmung völlig außer Acht gelassen.

Zwei Erlebnisse führten mir dies aber besonders eindrücklich vor Augen. Als ich einmal mit einem Vorstand einer Bank zum Klettern unterwegs war und wir am Abend auf der Hütte über dies und jenes plauderten, kamen wir auch darauf zu sprechen, wie ein Bergführer Touren für Kunden auswählt und wie sich Kunden für Bergführer entscheiden. Ich fragte dann einfach: „Dietmar, Du kannst Dir den Bergführer aussuchen, den Du willst. Warum bist Du eigentlich nicht mit einem meiner drahtigen Top-Kletterer Kollegen mit klingenderem Namen unterwegs, sondern mit mir?" Darauf kam die trockene Antwort: „Rainer, ich glaube schon dass Deine drahtigen Kollegen noch besser klettern als Du. Aber das bisschen besser ist für mich nicht wirklich relevant. Was wirklich für mich zählt ist das Gefühl, dass ich von meinem Bergführer wirklich verlässlich gehalten werde, wenn ich irgendwo in Schwierigkeiten kommen sollte. Da vertraue ich lieber auf ein Schwergewicht wie Dich." Das saß.

Das zweite eindrückliche Erlebnis hatte ich mit meinem Lieblingskunden Ludwig. Wir waren damals schon einige Extremtouren miteinander geklettert und mir war klar, dass wir noch einige großartige Routen zusammen machen würden können. Einmal hatte ich jedoch zu seinem gewünschten Termin keine Zeit und so nahm er sich einen Südtiroler Spitzenkletterer zum Bergführer. Ich befürchtete, Ludwig als Stammkunden zu verlieren. Doch schon bald meldete er sich wieder und wollte wieder mit mir klettern.

Ohne dass ich nachfragen musste erzählte mir Ludwig am Abend nach der Tour folgendes: „Rainer, was ich an Dir so schätze, ist, dass Du mir an den schwierigen Stellen immer wieder die entscheidenden Hinweise gibst, was ich machen soll. Manchmal geht's ja nur darum, den Arm ein wenig anders anzuwinkeln. Dein Südtiroler Kollege hat zu mir immer nur gemeint, ich soll einfach hinaufsteigen." Klar, mein geschätzter Kollege aus Südtirol war ein Naturtalent und war selbst immer „einfach nur hinaufgestiegen". Er konnte sich

schwer in Menschen hineinversetzen, die problematische Kletterstellen nicht auf Anhieb intuitiv richtig lösen können. Ich selber konnte das, weil ich mir selbst jedes einzelne Bewegungsmuster mühsam und analytisch erarbeiten habe müssen. Ich konnte dadurch meinen Kunden viel hilfreichere Instruktionen geben als ein klettertechnisches Naturtalent.

Meine beiden angenommenen Nachteile waren in Wahrheit Wettbewerbsvorteile.

Sich mit den eigenen Stärken, den Stärken anderer und den Stärken des Unternehmens auseinanderzusetzen, gehört zu den Aktivitäten mit dem höchsten Return on Invest – vorausgesetzt man erkennt diese nicht nur, sondern bringt diese dann auch an der richtigen Stelle zum Einsatz. Sehr oft werden die Fragen nach eigenen Stärken vorschnell und oberflächlich beantwortet und die wirklichen Stärken sind denen, die danach suchen vielfach gar nicht bewusst. Kein Wunder, man verbringt ja sein ganzes Leben damit. Meistens hält man selbst seine eigentlichen Stärken für nichts Besonderes, manchmal sogar für störend. Der Blick von außen kann jedoch spannende Einblicke zutage fördern – wenn man sich darauf einlässt.

Leader: wie bewusst sind Dir Deine eigenen Stärken und die Deines Teams? Könnten angenommene Nachteile sich als Vorteile herausstellen? Und was alles könnte möglich werden, wenn Du Dich auf Deine Stärken und die Deines Teams fokussierst und diese konsequent zum Einsatz bringst?

Discovering strengths

Looking back, I believe there has never been a more untalented person who wanted to become a climber than me. When I started climbing in 1981, I had just turned 16 years old, had grown 15 centimeters (6 inches) in the last twelve months and could barely coordinate my lanky body. It was incredibly hard for me – so hard that at first I thought I would have to let it go again. But because I remained persistent, I was able to slowly but consistently make progress. After three years of disciplined and hard training, I managed to do really big routes like the north face of the Grandes Jorasses.

◄ *Thomas Brandauer im Gedächtnisweg, Karawanken, Österreich, 1990*

However, a few physical attributes were not really conducive to a top-class climbing career. There was nothing I could do about my height of 1.92 meters (6'4"), and my body weight leveled off at around 84 kilograms (185 pounds) during my active climbing period no matter how much I trained and paid attention to my diet. I was, and have remained, relatively tall and heavy for an extreme climber. In addition to my height and weight, I had no real natural talent for movement. I always had to learn new movement patterns with great effort and then consolidate them by many repetitions, which resulted in a longer learning curve compared to other climbers.

So it was only natural that later, when as a professional mountain guide I decided to offer guided extreme tours to my clients, I felt at a disadvantage compared to my more talented and light-weighted colleagues. I assumed that clients would much prefer to go on extreme tours with a guide who was the typical image of an extreme climber: sinewy, wiry, and small to medium size. None of this applied to me. Moreover, these colleagues usually climbed better than I did. This also made me doubt at first whether I would have a market chance at all as a mountain guide for extreme routes given such conditions. However, as it turned out, I had judged the whole thing only from my inner perspective and had completely ignored the perspective of the customers and their subjective perceptions.

Two experiences made this particularly clear to me. Once, I went climbing with a board member of a bank and we were chatting about this and that at the hut in the evening. The conversation turned to the topic of how a mountain guide selects tours for customers and how customers choose mountain guides. I then simply asked: "Dietmar, you are in a position to choose any mountain guide you want. Why aren't you actually with one of my wiry top climber colleagues with a more renowned name, but with me?"

To this came the dry answer: "Rainer, I do believe that your wiry colleagues climb even better than you. But the little bit better isn't really relevant for me. What really counts for me is the feeling that my mountain guide will keep me safe if I should get into trouble somewhere. I prefer to trust in a heavyweight like you." That hit home.

The second defining experience I had was with my favorite customer, Ludwig. We had already climbed some extreme routes together by then and I knew that we would be able to do some even greater routes. But one time I was unavailable for his desired date and so he took a highly regarded South Tyrolean climber as his guide. I feared I would lose Ludwig as a regular customer – but my fears were allayed when he soon got in touch with me again.

Without me having to ask, Ludwig told me the following in the evening after our next tour: "Rainer, what I really appreciate about you is that you always give me the decisive hints about what to do in the difficult places. Sometimes it's just a matter of bending the arm a little differently. Your South Tyrolean colleague always told me I should just simply climb up."

Sure, my esteemed colleague from South Tyrol was a natural talent and had always "just simply climbed up" himself. He could hardly put himself in people's shoes who couldn't intuitively solve climbing problems at first go. I was able to do this, because I had to work out every single movement pattern with greater effort and analysis myself. I was able to give my clients much more helpful instructions than a naturally talented climbing guide could do.

My two assumed disadvantages were actually competitive advantages.

▲ *Ludwig in der Gelben Kante, Kleine Zinne, Dolomiten, Italien, 1992*

Dealing with one's own strengths, the strengths of others and the strengths of the company is one of the activities with the highest return on investment – provided that you not only recognize these, but also put them to use in the right place. Very often, the questions about one's own strengths are answered hastily and superficially, and the real strengths are often not known to those who are looking for them. No wonder, you spend your whole life with it.

Most of the time you don't even consider your own strengths to be special, in fact you might even find them bothersome. However, the view from the outside can reveal fascinating insights – if you let yourself in for it.

———————————

Leader: How aware are you of your own strengths and those of your team? Could previously assumed disadvantages prove to be advantages? And what all could become possible if you focus on your strengths and those of your team and use them consistently?

Zweifel nutzen – Zweifel überwinden

Im August 1983 machen Thomas und ich uns daran, einen Wunschtraum in den Dolomiten zu realisieren. Wir klettern die Gelbe Kante an der Kleinen Zinne, eine wunderschöne, kerzengerade, senkrechte Route, die eine der Traumlinien der Dolomiten ist. Relativ rasch erreichen wir die Schlüsselstelle in etwa 250 Meter Kantenhöhe. Dort kommt es für mich zu einem Moment der Wahrheit.

▲ *Quergang in der Gelben Kante, Dolomiten, Italien*

Irgendwie habe ich beim Klettern im Dolomit den Überblick verloren. Die Spitzen meiner Kletterschuhe finden zwar immer wieder ausgeprägte Kanten und Leisten, doch plötzlich bricht ein Tritt aus. Ich blicke ihm nach. Sekunden später schlägt er zehn Meter von der Wand entfernt im Schuttkar auf, ohne während des Falls auch nur einmal den Fels zu berühren – die Kante hängt hier mächtig über. Ich werde nervös und begehe aus dieser Nervosität heraus einen schweren Fehler. Ich mache eine irreversible Kletterbewegung nach links und weiß schon im Moment der Ausführung: zurück komme ich hier nicht mehr! Mit stark erhöhtem Pulsschlag rette ich mich auf ein schmales Band, das gerade genug Platz bietet, um mit den Vorderfüßen darauf zu stehen. Verkrampft kralle ich mich in die Wand und wage kaum zu atmen. Die Füße beginnen auf dem schmalen Sims zu zittern. Ich merke, dass ich mich an

dieser Stelle von der Kraft her für maximal zwei bis drei Minuten halten kann.

Allein der Gedanke an den Blick in die Tiefe verursacht mir ein flaues Gefühl in der Magengegend. Mir wird schlagartig klar, dass ich von der Originalroute abgekommen bin. Was tun? Zurück … geht niemals. Hinauf … geht vielleicht, aber eben nur vielleicht. Ich beginne immer stärker zu zweifeln. Das schaffe ich nie … Soll der Thomas das probieren … aber wie komm ich wieder zu ihm hinunter? … Springen?

Stop! Aus! Ich merke in diesem Moment, wie ich mir mit diesen Gedanken selbst schade. Wie der destruktive Dialog, den ich mit mir selber führe, mir die Kraft und Zuversicht raubt. … noch einmal Stop! Aus! Genau das habe ich doch immer gewollt: im Vorstieg klettern, im senkrechten Dolomitenfels führen, auch wenn es schwer, ausgesetzt und hart ist.

Der Blick nach unten beruhigt nicht wirklich. Ein weiterer innerer Dialog geht mir durch den Kopf. Was ist das Schlimmste, was jetzt passieren kann? Ein Sturz würde weit gehen … so an die 25 Meter, aber ich würde mir nicht wehtun … es ist hier ja unheimlich steil … wahrscheinlich fliege ich ohne gröberen Felskontakt einfach ins Freie … und hänge dann neben Thomas frei in der Luft … das ist vermutlich die Konsequenz, ganz egal, ob mir in drei Minuten die Kraft zum Festhalten an dieser Stelle ausgeht oder ich beim Versuch hinaufzuklettern stürze. Ich denke mir: Lieber falle ich beim Probieren runter als beim Angsthaben, wobei mir die Kraft ausgeht.

Ich kann mich durch tiefes Ausatmen beruhigen. Dann lehne ich mich zurück, löse mich vom Fels und gewinne einen Überblick, um meine Situation überhaupt realistisch beurteilen zu können. Ich habe meine

◀ *In der Gelben Kante, Dolomiten, Italien*

Perspektive durch das Hinauslehnen zwar nur um 50 Zentimeter verändert, aber meine Welt ist schlagartig eine andere: ich sehe so viel mehr, als ich vorher sehen konnte.

Mein Blick geht nach oben. Da oben scheinen bessere Griffe zu sein als gedacht, zwei schwierige Züge, dann kommen große, gute Löcher. Von dort könnte es nach links zur Schuppe und dann weitergehen. Ich beginne mir die nächsten Momente vorzustellen und rufe Bilder vom erfolgreichen Bewältigen einer solchen Kletterstelle ab, wie ich sie mir in meinen Tagträumen von Extremtouren immer ausgemalt hatte: Raufklettern, es schaffen. Irgendwie geben mir diese Bilder Kraft und meine Zweifel schwinden.

Mein Fokus verengt sich, ich blicke nur noch maximal bis zu den Zehenspitzen nach unten und auf die nächsten Griffe über mir. In dem Moment, in dem ich losklettere, gibt es nur noch eins: Klettern. Alles andere ist ausgeblendet. Ich führe ein instruktives Selbstgespräch mit mir, gebe mir selbst klare Handlungsanweisungen: Hochtreten, weitergreifen. Ein Griff nach dem anderen, ein Schritt nach dem anderen. Mit jeder gelungenen Bewegung kommt in mir mehr Zuversicht auf und irgendwie erreiche ich die großen, guten Griffe und hangle mich über die Felsschuppe in die Nische. Dort kann ich bequem stehen und einen sicheren Standplatz bauen.

Als Thomas nachklettert, merke ich, dass es ganz schön schwer gewesen sein muss. Die Erfahrung, dass ich diese dramatische Situation so erfolgreich gemeistert habe, hat mich aufgebaut, und ich mache mich gleich an den Vorstieg in der nächsten Seillänge. Danach kommen wir wieder auf die Originalroute zurück und können die Tour ohne größere Probleme abschließen.

Dieses Erlebnis war für mich eine bedeutende Lernerfahrung um Übergangssituationen zu bewältigen, im Leben im Allgemeinen und im Business im Besonderen: Zweifel sind in Übergangsphasen eine unvermeidliche Begleitmusik und die komplette Abwesenheit von Zweifeln ist dabei in der Mehrzahl der Fälle ein deutliches Anzeichen für unterkomplexes Denken. Lerne allerdings zwischen produktiven und destruktiven Zweifeln zu unterscheiden. Produktive Zweifel erhöhen die Wachsamkeit und Handlungsoptionen, fördern das konstruktive Hinterfragen und schützen Dich vor vorschnellen Entscheidungen mit möglicherweise langanhaltenden negativen Folgewirkungen. Destruktive Zweifel verstärken sich gegenseitig, lähmen und führen Dich in den Zustand der Problemhypnose.

Folgende Fragen und Taktiken helfen mir in Übergangssituationen immer wieder produktive Zweifel zu nutzen und destruktive Zweifel zu überwinden:

> Auf welche weiteren, möglicherweise noch unerkannten Alternativen will mich der Zweifel hinweisen?

> Was ist jeweils das Schlimmste, was bei der Entscheidung für diese Alternativen passieren kann?

> Sich erinnern und bildhaft vorstellen: Wofür bin ich angetreten und wo will ich hin?

> Mit dem Handeln beginnen und mit einem bewusst gewählten inneren Dialog die eigenen Handlungen instruieren.

Using doubts –
overcoming doubts

_In August 1983, Thomas and I set out to make a dream come true in the
Dolomites, to climb the so-called Yellow Edge at the Kleine Zinne (Cima
Piccola). It is a beautiful, straight, vertical route, and is one of the dream lines
of the Dolomites. Relatively quickly we reach the crux at about 250 meters
(820 feet) up the edge. This is where I have a huge moment of truth._

Die Gelbe Kante, Kleine Zinne Dolomiten, Italien ▶

Somehow, while climbing the dolomite rock, I've lost track. So far, the tips of my climbing shoes have been finding distinct edges and crimps, but suddenly a foothold breaks out from under me. I watch it fall. Seconds later, it hits the scree at the base 10 meters (30 feet) away from the wall, without even touching the wall during its fall, because here the edge is massively overhanging. I get nervous and that leads to a big mistake. I make an irreversible climbing move to the left and know already at the moment of execution: I can't go back this way! With my pulse racing, I manage to escape to a narrow ledge that offers just enough space to stand on with the fronts of my feet. Feeling tense, I claw myself onto the wall and hardly dare to breathe. My feet start to tremble on the narrow ledge and I notice that, in terms of my strength, I might be able to hold on for two to three minutes maximum at this point.

Just the thought of looking down makes me feel queasy in the stomach. Then I suddenly realize that I have strayed from the original route. What to do? Going back ... will never work. Up ... may work, but only maybe. I am beginning to doubt more and more. I'll never make it ... Let Thomas try ... but how do I get back down to him? ... Do I jump?

Stop! Stop!

I realize in this moment how I harm myself with these thoughts; how the destructive dialogue I am having with myself robs me of my strength and confidence. Stop again! Stop! This is exactly what I have always wanted to do: to climb in the lead on the vertical dolomite rock, even if it is difficult, exposed and hard.

Looking down does little to calm me. More internal dialogue flows through my mind. What is the worst that can happen now? A fall would go far ... about 25 meters

(82 feet), but I wouldn't hurt myself ... it's really steep here ... I'll probably just fly out into the open without any rough contact with the rock ... and hang freely in the air next to Thomas ... that's probably the consequence, whether I run out of strength to hold on to this spot in three minutes or whether I fall while trying to climb up. I think to myself: "I'd rather fall because I've tried than because I've run out of strength through being paralyzed by fear."

Now I am able to calm myself down by breathing out deeply. Then I lean back, detach myself from the rock and gain an overview so that I can realistically assess my situation. Although by leaning out I have changed my perspective by only 50 centimeters (20 inches), my world is suddenly a different one: this way I can see much more than I could see before.

I look up. There seem to be better handholds up there than I had previously thought: two difficult moves, then there are big, good pockets to climb up. From there I could go left to the flake and then onwards. I start to imagine the next moments and call up visions of successfully mastering such a climbing spot, just as I had always imagined in my daydreams of extreme trips: climbing up and making it. Somehow these visions are giving me strength and my doubts are disappearing.

My focus is narrowing: I look down no further than to the tips of my toes and to the next handholds above me. The moment I start climbing, there is only one thing left: climbing. Everything else is out of focus. Talking to myself, I give myself clear instructions on how to act: Step up, reach out. One handhold after the other, one step after the other. With every successful move I become more confident and somehow, I finally reach the big, good handholds and make my way, hand over hand, over the flake and into the niche. There, I can stand comfortably and set up a safe belay point.

When Thomas climbs up after me, I realize that it must have been quite difficult. My experience of having mastered this dramatic situation so successfully has boosted my morale and I immediately get on with leading the next pitch. After that we return to *the original route and manage to finish the climb without any major problems.*

This experience has been an important lesson for me to manage transitions, in life in general and in business in particular: Doubts are an inevitable part of transitional phases. A complete absence of doubt is, in most cases, a clear sign of *under*-complex thinking. But you should learn to distinguish between productive and destructive doubts. Productive doubts increase your vigilance and options for taking action, encourage you to question constructively and protect you from making hasty decisions with potentially long-term negative consequences. Destructive doubts reinforce each other, paralyze and lead you into a state of *problem hypnosis*.

The following questions and tactics have helped me again and again to use productive doubts in transitional situations and to overcome destructive doubts:

› What other, possibly still unrecognized alternatives does the doubt want to point out to me?

› What is the worst thing that can happen when deciding on each of these alternatives?

› Remember and visualize: What am I here for and what do I want to achieve?

› Start acting and instruct your own actions with a deliberate inner dialogue.

Kleine Zinne, Gelbe Kante, Dolomiten, Italien, 1983 ▶

Rückschläge transformieren

Zwei Jahre nachdem ich die Nordwand der Grandes Jorasses geschafft hatte,
wollte ich wieder etwas Großes machen: die Les-Courtes-Nordwand durchklettern.
Im Sommer 1986 bin ich mit einem Kollegen dorthin aufgebrochen. Wir
waren beide gut in Form und vorbereitet. Wir hatten zusammen bereits tolle
Kletterereien gemacht und uns jetzt total auf diese Durchsteigung eingeschossen.

Aber die Bedingungen waren diesmal schlecht, es war viel zu warm. Wir stiegen trotzdem ein. Doch dann verschlechterte sich auch noch das Wetter. Eine Lawine löste sich und riss mich während des Vorstiegs mit. Ich stürzte 40 Meter ab.

Nach 30 Metern schlug ich am Fels auf, stürzte die letzten zehn Meter mit dem Kopf nach unten weiter und blieb dann auch noch kopfüber hängen. Irgendwie gelang es mir, mich aus dieser misslichen Lage zu befreien, und irgendwie schafften wir dann gemeinsam auch noch den Rückzug auf den sicheren Boden. Wir waren glimpflich davongekommen; ausgenommen von einer Beckenprellung und ein paar Abschürfungen war mir nichts passiert.

Auf die Frage, was denn passiert sei, antwortete ich damals immer: eine Lawine. Heute weiß ich es jedoch besser: Ich bin heruntergefallen, weil ich so fixiert auf meinen Plan war und abseits davon absolut nichts mehr gesehen habe.

Vor allem aber der Zeitpunkt des Vorfalls stellte eine große Herausforderung für mich dar: Denn der Sturz geschah kurz nach meiner Entscheidung, Bergführer zu werden, noch vor den ersten Ausbildungskursen. Ich hatte gerade mein Architektur-Studium abgebrochen, um mich auf meinen eigenen Lebensweg zu machen. Und ich hatte die größeren Schritte gemacht, mich von familiären Erwartungen zu entkoppeln, um meiner gefühlten Bestimmung nachzugehen.

Und dann erlebte ich diesen Sturz! Der hatte mich damals nicht nur körperlich zerlegt …

Der Sturz raubte mir das komplette Selbstvertrauen. Klar, ich hatte diese Beckenprellung, aber solche körperlichen Schmerzen gehen nach ein paar Wochen wieder weg. Was sich aber nicht wieder so leicht erholte, war mein Inneres. Vor dem Unfall bin ich die Berge gefühlt hinaufgeflogen und hielt ich mich bei der Kletterei für nahezu unsterblich! Es war ja auch immer alles gut gegangen – aber durch den Sturz änderte sich dieses Gefühl schlagartig. Erst durch den Aufprall ist mir wirklich bewusst geworden, dass schon ein kleiner Rülpser des Berges reicht, um mich auszulöschen. Ein kleiner Zwischenfall – und ich bin für immer weg. Von einem Tag auf den anderen wurde das Klettern für mich zu einer echten Qual. Und damit stellte ich meinen ganzen zuvor so hart erkämpften Weg infrage: *Will ich wirklich noch Bergführer werden?*

In dieser schweren Zeit entdeckte ich zufällig ein Buch des Dalai Lama – und einen Satz daraus werde ich mein Leben lang nicht vergessen: „Wenn du verlierst, verliere nie die Lektion." Je mehr ich über die Frage nachdachte, desto klarer wurde mir, warum ich heruntergefallen war. Denn letztlich war die Lawine nur der Auslöser für meinen Sturz. Aber die Ursache, also der Grund, warum ich überhaupt in diese gefährliche Situation gekommen war, war mein fester Plan. Mein Beharren auf dem vorab gefassten Entschluss und mein unbedingter Wunsch, das Ziel zu erreichen – ohne das Außen und eventuelle spontane Veränderungen miteinzubeziehen. Ich hatte selbst einen handfesten und nicht zu unterschätzenden Beitrag zu meiner eigenen Misere geleistet.

Diese Erkenntnis verlieh mir neue Kraft. Diese unheimlich starke, negative Energie, die mich in der Zeit nach dem Sturz auf den Boden drückte, mich ganz unten fühlen ließ, wandelte ich in eine ebenso kraftvolle, positive um: Ich wollte von nun an mit aller Macht daran arbeiten, dass mir so etwas nie wieder passiert! Die Erfahrung des Sturzes hat mich in weiterer Folge zu einem viel besseren Kletterer und dann auch Bergführer gemacht, als ich es ohne jemals geworden wäre. Aber das gelang nur, weil ich darin meine Lektion erkannte.

Der damalige Fall war nicht verschwendet, weil die Situation für mich einen anderen Rahmen bekam: Statt meines Scheiterns sehe ich in dem Bild des Sturzes heute eine meiner wichtigsten Lernerfahrungen.

Immer wenn man scheitert, verliert man zunächst einmal eine wichtige Kraft: das Selbstbewusstsein. Da ist es nur natürlich, sich schlecht und deprimiert zu fühlen.

Aber wichtig ist, nicht in dieser Situation zu verharren. Man kann das negative Ergebnis nehmen, um die eigene innere Trotzmacht zu aktivieren: Das passiert mir nie wieder! Jetzt erst recht! Wenn man analysiert, was vorher passiert ist und was man selbst dazu beigetragen hat und dann sich überlegt, was man daraus lernen kann, dann legt man ein wichtiges Fundament dafür, dass dieser Fehler so schnell nicht wieder passiert.

Man halte sich vor Augen: Sobald es gelingt, eine stärkende Lernerfahrung aus Fehlern zu machen, hat man eine Situation auch anders in Erinnerung. Ich habe mein Scheitern nicht akzeptiert. Für mich war es der mir innewohnende Trotz, der dafür gesorgt hat, dass ich es mir nicht gefallen lassen habe, dass mein Scheitern mich fertig macht. Ich wollte mir selbst das Gegenteil beweisen und schloss mit mir eine Vereinbarung, dass ich jedes Scheitern zum Anlass nehme, noch besser zu werden.

Leader: Es ist Deine bewusste Entscheidung, nicht zuzulassen, dass das Scheitern Dich schwächt und in den Boden drückt. Du musst nicht den Rest Deines Lebens mit einer Niederlage herumlaufen. Nutz das Scheitern, wenn es sich nachträglich ohnehin nicht mehr ändern lässt, stattdessen als Kraft für Deinen Entwicklungsprozess. Wenn Du schweres Scheitern nicht ungeschehen machen kannst, nimm es als Benzin für etwas Besseres.

▲ *Blaitiere Westwand, Brown Riss, Mont Blanc Massiv, Frankreich, 1986*

Du kannst die negativen Gefühle verwenden, um Deine eigene Trotzkraft zu aktivieren: „Das passiert mir nie wieder! Jetzt erst recht!"

Transforming setbacks

Two years after having climbed the north face of the Grandes Jorasses,
I wanted to do something big again: to climb the north face of Les Courtes.
And so, in the summer of 1986, I set out for it with a colleague. We
were both in good shape and well prepared. We had already done
great climbs together and were hellbent on doing this climb.

◄ *Unsere Zelte im Argentiére Kessel, Mont Blanc Massiv, Frankreich 1986*

But this time, conditions were much too warm. We set off anyway. And then the weather got worse. Disaster struck in the form of an avalanche tearing me along while I was leading our ascent. I fell 40 meters (130 feet).

After 30 meters (98 feet) I hit the rock, then fell a further, last 10 meters (33 feet) upside down before being left hanging upside down. Somehow, I managed to free myself from this predicament, and somehow, we managed to get back to safe ground together. We both got off lightly; I sustained only a bruised pelvis and a few abrasions.

Whenever someone asked me what had happened, I would always answer: "an avalanche." Today however, I am wiser. I fell down because I had been so fixated on my plan that I saw absolutely nothing else.

Above all, the timing of the incident presented a great challenge for me. This is because the fall happened shortly after I had decided to become a mountain guide, even before the first of my training courses. I had just dropped out of my architecture studies to set out on my own path in life, and had taken the rather big steps of decoupling myself from family expectations to pursue what I felt was my destiny.

And then I experienced this avalanche and fall!

The fall totally robbed me of my self-confidence. Sure, I had this physical reminder of a pelvic contusion, but such physical pain goes away after a few weeks. But what didn't recover so easily was my inner self. Before the accident I had felt like I was flying up the mountains and I thought I was almost immortal when I was climbing! Everything had always gone well – but the fall suddenly changed this feeling. It was only after

the impact that I realized that even a small burp from the mountain was enough to wipe me out. One little incident – and I am gone forever. From one day to the next, climbing became a real torture for me. And with it, I questioned my previously so hardwon path and thinking. *Did I really still want to become a mountain guide?*

During this difficult time I discovered, by chance, a book by the Dalai Lama – and one sentence from it I will never forget for the rest of my life: "*If you lose, don't lose the lesson.*" The more I thought about the question, the clearer it became to me why I had fallen down. After all, the avalanche was only the trigger for my fall. But the cause, and therefore the reason, for getting myself to this dangerous situation in the first place, was my fixed plan. It was my insistence to adhere to my resolve and my desperate desire to reach the goal – without including the outside and potentially spontaneous changes. I myself had made a tangible contribution to my own misery that was not to be underestimated.

This realization gave me new strength. It was this incredibly strong negative energy, which pressed me to the ground in the time after the fall, making me hit rock bottom, that I transformed into an equally powerful positive energy. From then on, I wanted to work with all my might to ensure that nothing like this would *ever* happen to me again! The experience of the fall subsequently made me a much better climber and, later, mountain guide than I would have become without it.

Hard-won wisdom finally taught me that I only succeeded because I recognized my lesson in it. My fall back then was not wasted because I was able to

▲ *Aiguile du Midi Südwand, Mont Blanc Massiv, Frankreich, 1986*

reframe the situation. Instead of failure, I now see in the image of the fall one of my most important learning experiences.

Whenever you fail, you first lose an important force: self-confidence! So, it is only natural to feel bad and depressed. But it is important not to remain in this situation. You can take the negative outcome to activate your own inner defiance: *That will never happen to me again! Now more than ever!* If you analyze what happened before and what you contributed to it, and then look at what you can learn from that, you lay an important foundation for ensuring that you don't make such a mistake again soon.

Remember this: As soon as you succeed in making a strengthening learning experience out of mistakes, you will remember a situation differently. I have not accepted my failure. It was my inherent defiance that made sure I didn't put up with being defeated by my failure. I wanted to prove myself wrong and made an agreement with myself that I would take every failure as an opportunity to become even better.

Leader: It is a conscious decision you make to not let failure weaken you and push you into the ground. You do not have to walk around the rest of your life with a defeat. Use the failure, if it cannot be changed afterwards anyway, as a force for your development process instead. If you can't undo severe failure, use it as fuel for something better.

You can take the negative
feeling to activate
your own inner defiant
power: "That will never
happen to me again!
Now more than ever!"

Das Yak-Schritt-Prinzip

Endlich geht es los. Man kann die Energie der Teilnehmer förmlich spüren. Nach einer komplizierten Flugreise von Wien über London und Delhi nach Kathmandu waren wir in Nepals Hauptstadt zu zwei weiteren Wartetagen gezwungen worden, denn der Flug von dort nach Lukla ist ein Sichtflug und die Sicht war zu schlecht zum Fliegen.

Die Start- und Landebahn in Lukla, die bekanntlich nur 527 Meter lang ist und bei unserem Anflug noch nicht asphaltiert war, klebt irgendwie absurderweise an den steilen Berghängen. An einem Ende bricht eine Schlucht mehrere hundert Meter in die Tiefe und am anderen Ende ragt ein steiler, felsdurchsetzter Berghang jäh in die Höhe. Die Piloten der 18-sitzigen Twin Otter Maschinen müssen exakt zu Beginn der Landebahn aufsetzen, damit es ausreicht. Immer wieder kommt es auf diesem kurzen Streifen zu Unfällen mit Toten.

Obwohl der Landeanflug extrem abenteuerlich ist, schafft unser Pilot es gut, uns wohlbehalten abzusetzen. Mittlerweile sind es ganze fünf Tage seit wir in Europa aufgebrochen sind und die Ungeduld meiner neun Kunden ist verständlich. Sie wollen rein ins legendäre Sherpaland des Solukhumbu, sie wollen zum Everest Basecamp und den höchsten Berg der Welt sehen, sie wollen selbst einen Sechstausender besteigen.

Trotzdem versuche ich sie noch vor dem Start einzubremsen: „Geht langsamer, als ihr möchtet und trinkt bitte mehr als Ihr möchtet!" Stetigkeit ist wichtiger als in Teilabschnitten schnell zu sein. Was schon beim Bergsteigen in den Alpen ein zentraler Leitsatz ist, gilt hier im Himalaya nochmals um so mehr. Wir werden uns die nächsten drei Wochen durchgehend in Höhen zwischen 3.400 Metern und 5.500 Metern abhalten, mit einem kurzen Abstecher auf einen Sechstausender dazwischen. Höhenkrankheit im Himalaya bedeutet Lebensgefahr. Es geht um langsame Anpassung an die Höhe, da wir im Gegensatz zu den Alpen hier keine Chance haben, zwischendurch in sauerstoffreichere Regionen abzusteigen. Körperliche Verausgabung würde das Risiko für Höhenkrankheit erhöhen.

Mein Appell wird rein rational zwar verstanden, sich daran zu halten ist für einige Teilnehmer allerdings schwierig. Zu stark fühlen sie sich im Moment, zu viel Zeit haben wir aufgrund der verschobenen Flüge bereits verloren, zu weit entfernt am Horizont erscheinen die Gipfel der Sehnsucht. Vollkommen verständlich, dass einige gerne Vollgas geben wollen. „Es hat keinen Sinn zu beschleunigen," sage ich, „ihr könnt nur so schnell und so weit gehen wie unsere Yaks es an einem Tag schaffen. Orientiert Euch einfach am Schritt der Yaks." Das scheint jetzt stärker einzuleuchten. Unsere gesamte Ausrüstung, Küchengerät, Proviant, Zelte und Schlafsäcke, ist nämlich auf unseren stämmigen, schwerfälligen Tragtieren verladen.

„Aber wir könnten ja auch vorgehen und auf die Yaks am Lagerplatz warten, oder?" meint ein Teilnehmer zu einem anderen. Gesagt und auch schon zu zweit losgeprescht. Den Rest der Gruppe kann ich im Zaum halten. Was dabei unglaublich hilft, ist zwischendurch stehen zu bleiben und nicht nach vorne zu schauen, wie viel des Weges aktuell noch fehlt, sondern zurückzuschauen und sich darüber zu freuen, wie viel man schon geschafft hat. Auf diese Weise legen wir im Laufe der Tage beachtliche Strecken zurück.

Alle Teilnehmer erreichen ohne Höhenkrankheit den auf etwa 5.500 Meter liegenden Aussichtspunkt am Everest-Basecamp; allerdings waren wieder die Zwei vorgeprescht. Wenige Tage später stehe ich mit drei Teilnehmern und zwei Sherpas am Gipfel unseres Sechstausenders – grandioser Höhepunkt unserer Reise. Die zwei Tempobolzer sind allerdings diesmal nicht dabei. Ihnen war in den ersten Stunden unseres nächtlichen Aufbruchs plötzlich die Luft weggeblieben.

Teilnehmer, die sich während der ganzen Tage vorher niemals verausgabt hatten und ständig auf ihren Flüssigkeitshaushalt geachtet hatten sind jedoch dabei. Einer von ihnen bemerkt am Abend bei unserer Gipfel-Feier im Zeltlager sichtlich gelöst: „Bin ich froh, dass ich Dein Yak-Schritt-Prinzip befolgt habe, Rainer!"

So wie viele (vor allem unerfahrene) Bergsteiger ein zu hohes Anfangstempo wählen, so werden auch in Unternehmen sehr oft viel zu viele Projekte gleichzeitig gestartet. Auch im Business macht das Yak-Schritt-Prinzip Sinn:

> Mach, vor allem in Veränderungsprozessen und Übergangsphasen, Stetigkeit zum Leitprinzip: wähl das Tempo, die Arbeitslast und die Anzahl der gleichzeitigen Projekte so, dass Dir und Deinem Team die Luft nicht ausgeht. Du wirst auf diese Weise gerade dann, wenn es darauf ankommt, Reserven haben für notwendige Beschleunigung oder Sonderanstrengungen.

> Neben deutlichen Leistungsreserven für Ausnahmesituationen bleiben Dir auch gedankliche Kapazitäten, um während des Handelns strategisch zu überlegen.

> Halt zwischendurch inne und nutze Time-Outs auch dafür, gezielt zurück zu schauen. Wenn Du nur nach vorne schaust und dauernd damit konfrontiert bist, wie viel noch bis zur Zielerreichung fehlt, dann kann dies den Bewältigungsglauben entscheidend schwächen. Gönn Dir und Deinem Team zwischendurch den Blick darauf, was Ihr schon erreicht und geschafft habt.

◀ *Am Gipfel des Imja Tse Himal, 6.189m, Himalaja, Nepal, 1993*

The yak-pace principle

Finally, we're off! The energy of the participants is almost tangible. After a complicated flight from Vienna via London and Delhi to Kathmandu, we were forced to wait two more days in the Nepalese capital because the flight from there to Lukla is a visual flight, and the visibility was too low for flying.

The Lukla runway, which is famously only 527 meters (1,729 feet) long and had not even been asphalted at the time of our arrival, somehow absurdly sticks to the steep mountain slopes. At one end a gorge plunges to a depth of hundreds of feet, while at the other end a steep, rocky mountain slope rises abruptly into the air. The pilots of the 18-seater Twin Otter aircraft have to touch down exactly at the beginning of the runway to make sure they don't overshoot. There have been countless accidents with fatalities on this tiny strip of land.

Although the landing approach is extremely adventurous, our pilot manages to set us down safely. Meanwhile, it is five days since we left Europe and the impatience of my nine clients is understandable. They want to set foot in the legendary Solukhumbu, the land of the Sherpas; they want to go to Everest Base Camp and see the highest mountain in the world; they even want to climb a 6,000-meter peak.

Nevertheless, I try to restrain them before the start: "Walk slower than you want to and please drink more than you want to!" Maintaining a steady pace is more important than rushing each section. What is already a central principle in mountaineering in the Alps is even more applicable here in the Himalayas. For the next three weeks, we will be spending the whole time at altitudes between 3,400 and 5,500 meters (between 11,155 and 18,045 feet), with a short detour to a 6,000-meter (19,685-foot) peak in between. Altitude sickness in the Himalayas is life-threatening. It is all about adapting slowly to the altitude, because unlike in the Alps, in the Himalayas there is no opportunity to descend to oxygen-richer regions from time to time. Physical exertion would increase the risk of altitude sickness.

Although my message is understood by the participants on a purely rational level, some find it difficult to heed it. They feel too strong at the moment not to go, we have already lost too much time due to the postponed flights – and too far away on the horizon the peaks of longing come into view. It is completely understandable that some of them want to go full throttle. "There's no point in accelerating," I say, "you can only go as fast and as far as our yaks can in one day. Just follow the yaks' pace." That seems to make more sense to them now. All our equipment, kitchen utensils, provisions, tents and sleeping bags are loaded onto our sturdy, lumbering pack animals.

"But we might as well go ahead and wait for the yaks at the campground, right?" one participant says to another. No sooner said than done, the two of them shoot ahead. I'm able to keep the rest of the group in check. What helps a lot is to stop once in a while and not to look ahead at how much of the way is still ahead of us, but to look back and be happy about how much we have already put behind us. This way we cover considerable distances over the course of several days.

All participants reach the lookout at the Everest base camp at about 5,500 meters (18,045 feet) without altitude sickness, though again, those two have rushed ahead. A few days later, I am standing with three participants and two Sherpas at the summit of our six-thousander, the grandiose highlight of our trip. But the two speedsters are not there this time. In the first hours of our nighttime departure they suddenly lost their breath. In contrast, other participants, who had never exhausted themselves during the previous days and who had constantly paid attention to their fluid balance, are here. One of them even remarked at our summit celebration, looking visibly relaxed: "Am I glad that I followed your yak-step principle, Rainer!"

▲ *Everest Trek, Himalaja, Nepal, 1993*

Just as many (especially inexperienced) mountaineers choose too high an initial tempo, companies often launch far too many projects simultaneously. The yak-step principle also makes sense in business:

› Make steadiness your guiding principle, especially in change processes and transition phases: choose the pace, workload and number of simultaneous projects so that you and your team don't run out of breath. In this way, you will have reserves if it becomes necessary to speed things up or make special efforts.

› In addition to maintaining significant performance reserves for exceptional situations, you will also have the capacity to think strategically while taking action.

› Pause once in a while and use time-outs to look back deliberately. If you only look ahead and are constantly confronted with how far you still have to go until you reach your goals, this can decisively weaken your confidence. Allow yourself and your team to take a look at what you have already achieved and accomplished.

Zug statt Druck

———

Wenn das Klettern in der Verdon-Schlucht in der französischen Provence mit einem Wort beschrieben werden müsste, würde ich es „atemberaubend" nennen. Auf mehreren Kilometern stürzen die Felswände jäh in die Tiefe, als hätte jemand die Erde mit einem riesigen Schwert gespalten. Siebenhundert Meter darunter fließt, als winziges grünes Band erkennbar, der Verdon-Fluss im Schluchtgrund.

An die obere Schluchtkante führt die Aussichtsstraße Route des Crêtes. Hier parkt man sein Auto und seilt sich bis zu dreihundert Meter in die Schlucht ab, runter bis zu einem Jardin – so nennen die Einheimischen die vereinzelten grünen Oasen in der Wand, von denen viele Routen wieder nach oben starten. Viel öfter seilt man allerdings in eine vertikale Plattenflucht ab und startet die Kletterei von einem exponierten Standplatz inmitten von grifflosen Platten aus nach oben.

Wenn man beim Abseilen die saugende Tiefe vo[n]
hundert Metern Luft und sonst nichts unter den [S]
hat, ist das Abziehen des Seils eine besonders d[e]
Angelegenheit. Das Auge findet in den äußers[t]
armen Felswänden kaum Halt und die ganze Sz[...]
setzt die Kletterer unter Hochspannung. Wer[...]
Seil abgezogen ist, gibt es nur noch eins: Du [...]
raufklettern.

Ich baue Kletterwochen im Verdon imm[er]
Frühsommer ins Programm ein, um meine K[...]
auf die langen sommerlichen Extremtouren im G[...]
optimal vorzubereiten. Für meinen Kunden Lud[...]
es im Juni 1996 der dritte gemeinsame Kletteraufe[...]
in dieser einzigartigen Umgebung. Für heute hab[en]
uns eine besondere Genusskletterei ausgesuch[t]
Route im oberen siebten und unteren achten Sch[wierig]
keitsgrad. Ludwig ist skeptisch, ob die Klettere[...]
doch eine Hausnummer zu schwierig für ihn is[t]
ich muntere ihn auf, es zu versuchen: „Ludwig[...]
traumhaften Ausstiegsseillängen von „À tout[...]
können wir nur genießen, wenn wir auch die Sch[...]
stelle im unteren Wandteil klettern. Und ich wei[ß]
Du das schaffst." Ludwig willigt ein und so be[...]
wir die luftige Abseilfahrt in den Jardin unterh[...]
Dalles Grises, wo die Route startet.

Ich merke schon beim Losklettern, dass ich[...]
einen guten Tag habe und finde schnell m[...]

◀ *Klettern in der Verdon Schlucht, Provence, Frankreich*

Rhythmus. Ludwig ist sichtlich angespannt, macht aber seine Sache in den ersten Seillängen wirklich gut. Wir kommen zur Schlüsselseillänge, die äußerst kleingriffig und leicht überhängend ist. Mir gelingt die Schlüsselstelle ohne Probleme und ich baue direkt oberhalb davon den Standplatz auf, um Ludwig optimale Unterstützung und Sicherung bieten zu können. Als Ludwig losklettert merke ich, dass er nicht nur Respekt hat, sondern sich richtig zu verkrampfen beginnt. Ich sichere ihn sehr eng. Als er zur schwierigsten Passage kommt, kann ich in seinem Gesicht lesen, dass er nicht daran glaubt es zu schaffen. Einen Sekundenbruchteil später stößt er ein gequältes „Es geht nicht!" aus und lässt sich ins Seil fallen.

Ich fange sofort an ihm Anweisungen zu geben, damit nicht noch mehr Zweifel aufkommen: „Super, Ludwig, hat gut ausgesehen! Kurz rasten jetzt, bleib einfach im Seil hängen, Hände ausschütteln, damit Blut reinkommt und dann probierst Du es gleich wieder!" Kurz darauf startet Ludwig wieder. Bei der schwierigsten Passage kommt erneut sein zweifelnder Gesichtsausdruck auf. Diesmal verstärke ich den Zug am Seil, so fest ich kann. Ich kann ihn damit natürlich nicht wirklich hochziehen, aber er wird den Zug von oben vor allem als mentale Unterstützung spüren. Und wirklich funktioniert es, denn er packt die Stelle viel entschlossener an, als beim ersten Mal. Ich ziehe bei jeder geglückten Bewegung das Seil sofort stramm und bestärke jeden seiner erfolgreichen Kletterzüge mit einem „Super!" Dadurch schafft Ludwig alle noch verbleibenden Stellen und klettert zu mir zum Standplatz. Nun ist der Weg in die traumhaften Ausstiegsseillängen frei.

Was folgt, sind einige der besten Seillängen meines Lebens: Kletterei von unglaublicher Schönheit und Steilheit. Während wir an griffigen Löchern und Leisten in allerbestem Verdon-Kalk nach oben schwelgen, umspielt uns der warme Mistral-Wind in der goldenen Spätnachmittagssonne – das Leben könnte schöner nicht sein.

Ich habe in meinen mehreren Jahren als Profibergführer vielen Kunden über schwierige Passagen hinaufgeholfen. In keiner einzigen Situation hätte Druck geholfen – abgesehen davon, dass man mit einem Seil keinen Druck ausüben kann, sondern damit nur ziehen kann. Menschen in schwierigen Situationen brauchen keinen Druck, sondern Zug: Unterstützung, Hilfe, Support. Gerade in asymmetrischen Beziehungen – wie in einem Führungs-Verhältnis – können Teammitglieder schon wenige unbedachte Worte oder Bemerkungen von einem Vorgesetzten als Druck empfinden, was womöglich ihre Leistungen schwächt.

Leader: Setze konsequent auf Zug statt auf Druck, um Dein Team zu führen!

Pull, don't push

If climbing in the Verdon gorge in French Provence had to be described in one word, I would call it "breathtaking". For several miles the rock faces plunge abruptly into the depths, as if someone had split the earth with a huge sword. Seven hundred meters (2,300 feet) below, the Verdon River flows in the bottom of the gorge, recognizable as a tiny green band. A scenic road called Route des Crêtes leads to the upper edge of the gorge. This is where one parks the car and rappels up to 300 meters (980 feet) down the gorge, into a jardin _– which is what the local people call these isolated green oases in the wall – from which many climbing routes lead back up. But much more often, one rappels into a vertical line of slabs and starts the climb up from an exposed belay point amidst slabs lacking handholds._

Ludwig in der Verdon Schlucht, Provence, Frankreich, 1996 ▶

When you have a thousand feet of nothingness under you while you are rappelling, pulling through the rope is a particularly delicate matter. Your eyes can find hardly any grip in the extremely smooth rock faces and the whole scenery puts the climbers under high tension. Once the rope has been pulled through, there is only one thing left to do: you have to climb up.

I always include climbing-weeks in the Verdon in my program in early summer to best prepare my clients for the long, extreme mountain tours in the summer. In June 1996, it was the third time that my client Ludwig and I climbed together in this unique environment. For today we have chosen a particularly special climbing pleasure, a route graded VII+ to VIII-. Ludwig is skeptical, wondering whether the climbing is perhaps much too difficult for him, but I encourage him to try it: "Ludwig, we can only enjoy these fantastic exit pitches of "À tout cœur" if we climb the crux in the lower part of the wall as well. And I know you can do it." Ludwig agrees and so we start the airy rappel into the *jardin* below the Dalles Grises, where the route starts.

I notice as soon as I start climbing that I am having a good day today and quickly find my rhythm. Ludwig is visibly tense but is doing a really good job in the first few pitches. We come to the crux pitch, which has very small handholds and is slightly overhanging. I manage the crux without any problems and set up the belay point directly above it to give Ludwig optimal support and safety. When Ludwig starts climbing, I notice that he not only has respect but also starts to get really tense. I secure him very tightly. When he comes to the most difficult passage, I can read in his face that he doesn't believe he can make it. A fraction of a second later he emits a tortured "It won't work!" and lets himself fall on the rope.

I immediately start to give him instructions to allay his doubts: "Great, Ludwig, that was looking good! Take a short rest now, just let yourself hang in the rope, shake out your hands to let the blood flow and then, just try it again right away!" Shortly afterwards, Ludwig starts climbing again. At the crux, the doubting expression in his face comes up again. This time I increase the pull on the rope as hard as I can. Of course, I can't really pull him up with it, but he will feel the pull from above mainly as mental support. It works and he tackles the crux much more determined than the first time. With each successful move, I pull the rope tight and confirm Ludwig's success by saying, "Brilliant!" Thus, Ludwig manages to climb through the remaining spots and meets me at the belay point. The route into those fantastic exit pitches is now open.

What follows are some of the best pitches of my life: climbing of incredible beauty and steepness. While we revel in scaling the very best Verdon limestone on easily gripped pockets and crimps, the gentle warm winds caress us in the golden late-afternoon sun – life couldn't be more beautiful.

In my many years as a professional mountain guide I have helped many clients up over difficult pitches. There wasn't a single situation where pressure would have helped – apart from the fact that you can't exert pressure with a rope, you can only pull with it. People in difficult situations don't need pressure, they need a pull: support, help, encouragement. Especially in asymmetrical relationships – such as in a leadership relationship – team members may feel pressured by just a few thoughtless words or remarks from a leader, which might weaken their performance.

Die Wände der Verdon Schlucht, Provence, Frankreich ▶

Leader: Consistently rely on pulling rather than pushing to lead your team!

DAS UNGEWISSE MEISTERN
MASTERING UNCERTAINTY

Kurzes Seil, langes Seil

---

*Durch die Nordwandtouren als Profibergführer mit Kunden gewann ich
spannende Einsichten in das Wesen von Führung bei großen Herausforderungen.
Mir wurde klar, dass Führung in komplexen Situationen immer in
rezeptfreien Räumen stattfindet. Es gibt für die schwierigeren Routen
nicht DAS Rezept oder die eine simple Logik, der man folgen kann.*

Als Bergführer bist Du in Routen in hohen Schwierigkeitsgraden in Bezug auf Deine Form des Führens weitgehend von der vorhandenen Kompetenz und Leistungsfähigkeit Deiner Kunden abhängig – nicht nur wenn es gilt, mögliche Ausnahmesituationen zu bewältigen, sondern auch im ganz normalen Routineablauf des Kletterns.

Der Schwierigkeitsgrad der gewählten Route beeinflusst dabei nicht nur die Dynamik des Zusammenspiels zwischen Bergführer und Kunden, sondern bestimmt ebenso die Klettertechnik und Ausrüstung, mit der sie zu bewältigen ist. Und die Hauptrolle spielt dabei die Länge des Kletterseils.

Das sogenannte „kurze Seil" kommt auf den relativ einfachen Routen zum Einsatz. Beispielsweise auf den Normalwegen am Großglockner, am Matterhorn oder am Mont Blanc. Kurzes Seil bedeutet: die Kunden folgen Dir mit etwa 2 bis 3 Meter Abstand am gespannten Seil. Meistens geht man gleichzeitig und die Kunden sind durch Dein Seil meist über Deinen Körper gesichert. Dadurch, dass das Gelände für den Bergführer relativ leicht ist, kann man die ganze Zeit mit nahezu ungeteilter Aufmerksamkeit beim Kunden sein, diesen mit klaren Instruktionen Schritt für Schritt anweisen und sofort unterstützen, wenn der Kunde in Schwierigkeiten kommt. Mit dieser Art von Führung schaffst Du Normalwege, aber keine Nordwände.

In Nordwand-Touren kletterst du am langen Seil, das heißt, der Kunde bewegt sich teilweise 40 bis 50 Meter entfernt von dir, oftmals sogar außerhalb deines Blickfelds, hinter einer Kante. Dennoch bist du als Bergführer in so einer Situation dafür verantwortlich, dass jemand, den du nicht siehst, und dem du keine Anweisungen geben kannst, in einer Extremsituation alles richtig macht. Dieses Vorgehen ist nur mit entsprechender Vorbereitung, Vertrauen und Selbstverantwortung möglich. Als Bergführer kannst du nur den Rahmen schaffen und gegebenenfalls Unterstützung geben.

Du erkennst auch sehr schnell, wie sehr die Leistungsfähigkeit in Führungsbeziehungen von der Qualität des Miteinanders abhängt. Es gab Kunden, mit denen ich besser und lockerer unterwegs war, als in der Gemeinschaft anderer. Ich habe bemerkt, dass meine eigene Leistungsfähigkeit nicht nur von mir selbst abhing, sondern auch von meinem Gegenüber. Je mehr Vertrauen ich in die Kletterleistungsfähigkeit, die Eigenverantwortung und das Sicherungskönnen der von mir Geführten hatte, desto besser und leistungsfähiger war ich selbst. Umgekehrt merkte ich, wie viel Energie und Sicherheit meine Kunden aus dem Umstand bezogen, dass ich ihnen eine Route in bestimmten Schwierigkeitsgraden zutraute.

Führung ist nicht eine Funktion, die von einem Menschen in Richtung eines anderen ausgeübt wird, sondern vielmehr ein wechselseitiger Prozess, vergleichsweise wie Führung in großen Nordwänden nur am langen Seil möglich ist. Zentrale Erfolgsprinzipien dafür sind, dass:

> Eigenverantwortung und Freiräume möglich sind und nicht vorwiegend mit Anweisung und Vorgabe geführt wird;

> ein Klima des Miteinanders auf Augenhöhe herrscht, welches auf Vertrauen, Fairness, Respekt und gegenseitiger Unterstützung basiert, anstatt ein asymmetrisches Verhältnis zwischen Führenden und Geführten zu schaffen, welches dazu dient, den Anschein von Überlegenheit zu bewahren;

> es eine Atmosphäre von Angstfreiheit und Offenheit in beide Richtungen gibt, in welcher man offen Bedenken, Befürchtungen oder Zweifel äußern, Fragen stellen oder um Unterstützung bitten kann.

Auch in Unternehmen wird man komplexe Herausforderungen nur mit *Führung am langen Seil* meistern können. Dazu ist es notwendig, sich vom *Entweder-oder-Denken* zu verabschieden und mit einem *Sowohl-als auch-Ansatz* zu führen. Beispielsweise funktionieren Selbstorganisation und freie Zusammenarbeit dann am besten, wenn gleichzeitig klare Ziele und Grenzen vorhanden sind. Wenn die Führung auf Augenhöhe bestimmt, schließt das die Eigenverantwortung und Kreativität der Mitarbeiter nicht aus. Genauso ist ein offenes „Ich weiß es nicht!" der Führungskraft bezogen auf die Lösung eines bestimmten Problems kein Hinderungsgrund dafür, den Bewältigungsglauben im Team in Bezug auf die Lösung genau dieses Problems zu stärken. Genauso hindert ein offenes „Ich weiß es nicht" von der Führungskraft – wenn zum Beispiel die Lösung eines Problems nicht sofort gelingt – nicht daran, den Bewältigungsglauben im Team zu stärken, um genau dieses Problem zu lösen.

Leader: Schaff Orientierung mit wenigen, aber klaren Zielen, Grenzen, Regeln und Prinzipien. Damit wiederum schaffst Du den Rahmen für Eigenverantwortung, Kreativität und selbstorganisierte Zusammenarbeit.

Short rope, long rope

_____

Through my north face tours as a professional mountain guide with clients, I gained fascinating insights into the nature of leadership when facing great challenges. It became clear to me that leadership in complex situations always takes place in nonprescriptive spaces. For the more difficult climbing routes, there is no ONE recipe or one simple logic to follow.

As a mountain guide on routes of greater difficulty, you are highly dependent on your clients' competency and performance regarding your form of leadership – not only when it comes to coping with possible exceptional situations, but also in the normal routine of climbing.

The degree of difficulty of the chosen climbing route thus not only influences the dynamic of the team play between the mountain guide and the clients, but determines the climbing techniques and equipment needed to accomplish the route. And the length of climbing rope to be used plays a major role in this.

The so-called "short rope" is used on the relatively easy routes. For example, on the normal routes on Grossglockner, Matterhorn or Mont Blanc, using a short rope means that the clients follow you at a distance of about 2 to 3 meters (7 to 10 feet) on the taut rope. Mostly, you climb at the same time and the clients are usually secured by the rope over your body. Because the terrain is relatively easy for the mountain guide, you can be with your clients all the time with almost undivided attention, guide them step by step with clear instructions and support them immediately if they get into trouble. With this type of guiding you can manage normal routes, but not north faces.

In north face tours you climb on a long rope, which means that the client sometimes is climbing 40 to 50 meters (131 to 154 feet) away from you, often even out of your field of vision, below an edge. Nevertheless, as a mountain guide in such a situation, you are responsible for ensuring that someone you cannot see, and to whom you cannot give instructions, does everything right in an extreme situation. This is only possible with appropriate preparation, trust and personal responsibility. As a mountain guide, you can only create the framework and give support if necessary.

You also realize very quickly how much performance in leadership relationships depends on the quality of mutual cooperation. There were clients with whom I felt better and more relaxed than in the company of others. I noticed that my own performance not only depended on myself, but also on my counterpart. The more trust I had in the climbing ability, the personal responsibility and the belaying skills of those I was leading, the better and more efficient I was myself. Conversely, I noticed how much energy and assurance my clients gained from the fact that I trusted them to climb a route with certain grades of difficulty.

Leadership is not a function performed by one person in the direction of another, but rather a reciprocal process, much like guiding on large north faces is only possible on a long rope. Central principles for success are that:

> self-responsibility and freedom are possible, and leadership is not predominantly exerted by instructions and specifications;

> there is a climate of cooperation on eye level, based on trust, fairness, respect and mutual support, instead of creating an asymmetrical relationship between leaders and those being led, which serves to maintain the appearance of superiority;

> there is an atmosphere of freedom from fear and openness in both directions, in which everyone can openly express concerns, fears or doubts, ask questions or ask for support.

In companies, too, complex challenges can only be mastered with *leadership on a long rope*. To do this, it is necessary to abandon *either/or thinking* and to lead with a *both/and approach*. For example, self-organization

▲ *Ludwig beim Granitklettern, Schweiz, 1996*

and free cooperation work best when there are clear goals and limits at the same time. If the management makes decisions on an equal footing, it need not exclude personal responsibility and creativity of the employees. Similarly, an open "I don't know" by the manager with regard to the solution of a specific problem is no obstacle to strengthening the belief that the team can cope with the solution of exactly this problem.

Similarly, a manager's honest response of "I don't know" when a problem can't be solved immediately need not prevent them from boosting the team's confidence to find a solution to that problem.

Leader: Create orientation with few, but clear, goals, limits, rules and principles. Thereby, in turn, you create the framework for *personal responsibility, creativity and self-organized cooperation.*

Freiraum entsteht durch Grenzen

Bei den winterlichen Skitouren, die ich als Bergführer geführt habe, habe ich
immer wieder ein interessantes Phänomen beobachtet. Nachdem ich alle Dos und
Don'ts erklärt hatte und die Tourengruppe erwartungsvoll am unverspurten
Tiefschneehang stand, ermutigte ich die Teilnehmer zum Schluss, sich an
diesem Hang auszuprobieren und nicht unbedingt die von mir gesetzte Spur zu
fahren – ich fuhr immer vor –, sondern eine eigene Spur zu wählen, die ihnen den
höchsten Tiefschneegenuss bringen würde. Um ihnen eventuelle Ängste zu nehmen,
fügte ich hinzu: „Es ist absolut ungefährlich. Ihr könnt Eure eigene Spur ziehen!"
Das natürlich nur, wenn es von der Lawinensituation her auch ungefährlich war.

Tiefschneeabfahrt am Sonnblick, Hohe Tauern, Österreich, 1998 ▶

Und dann passierte bei nahezu jeder Gruppe immer das gleiche: Ich fahre los und winke der Gruppe von unten, dass sie einzeln nachkommen können. Sie fahren los, einer nach dem anderen und bleiben dann doch in der Nähe meiner Fahrspur. Sie trauen sich da einfach nicht weg. Sie brauchen offensichtlich diese Sicherheit, um sich an die Abfahrt heranzuwagen. Meist bis auf Einen, nennen wir ihn den „Hans", den es in jeder Gruppe gab, der das mit der eigenen Spur nicht nur verstanden hatte, sondern sich auch traute seine eigene Spur in den Hang zu legen.

Ich hörte nicht auf, die Anweisung zu geben, sich den eigenen Weg nach unten zu suchen, aber zugleich wusste ich, beim nächsten Abhang würden wieder die meisten in meiner Spur fahren, während der „Hans" wieder seine eigenen Kurven ziehen würde. Irgendwann hatte ich verstanden: Ich kann das wiederholen so oft ich will, die Unsicherheit der Mehrzahl wird bleiben. Bis mir bei einer Gruppe eine Idee kam.

Ich nahm mir den „Hans" beiseite. Der „Hans" ist typischerweise der beste Schifahrer der Gruppe und so machte ich ihm folgenden Vorschlag: Er sollte auf der linken Abhang-Seite hinunterfahren. Ich wollte die rechte Seite nehmen. Wir würden mit zwei Begrenzungs-Spuren einen ganz klar definierten Freiraum aufspannen. Unten im Tal sollten sich unsere Spuren wieder treffen. Dann sagte ich der Gruppe: „Zwischen diesen beiden Spuren könnt ihr alles ausprobieren."

Und siehe da: Als alle unten waren, gab es am Hang eine Vielzahl an Spuren im Schnee. Die Teilnehmer trauten sich auf einmal, die eigenen Kurven zwischen unseren beiden Spuren zu ziehen! Beherzt waren sie den Hang hinunter gekurvt. Die einen vorsichtig, die anderen ordentlich Fahrt aufnehmend. Vom Anlehnen an meine Führungsspur war nichts mehr zu erkennen.

Schitouren in Canada und in den Penninischen Alpen, Italien, 1996 ▶

Menschen, die mit direktiver Führung aufgewachsen sind, können sich vielfach nicht vorstellen, wie viele Freiheiten sie wirklich haben, wenn die Anweisung wegfällt. Und so werden sie sich nicht besonders weit vom üblichen Denken entfernen. Wenn Du Dein Team also um kreative Ideen bittest, dann kann es sein, dass Du eher konservative Vorschläge erhalten wirst – Vorschläge, die sehr nah am üblichen Geschäft liegen. Gleiches passiert, wenn Du Deine Mitarbeiter plötzlich aufforderst, Dir kritisches Feedback zu geben. Sie werden nur sehr, sehr zögerlich damit loslegen. Vielleicht werden sie sich erst dann außerhalb der selbstgesetzten Grenzen entfalten, wenn sie durch Vorreiter erkannt haben, dass tatsächlich nichts Schlimmes passiert wenn sie mit ihrer Kritik rausrücken.

Rechne also damit: Du kannst Freiheit anordnen so laut Du willst, Deine Leute werden sich nicht gleich danach aus dem Fenster lehnen – weder in der Auseinandersetzung mit Dir als Chef, noch mit kreativen Vorschlägen das Geschäft betreffend. Wenn Du bisher am kurzen Seil geführt hast, darfst Du nicht plötzlich mutige Entscheidungen von den Geführten erwarten. Deren Unsicherheit wird in solchen Momenten immer die Oberhand gewinnen. Das Gleiche trifft zu, wenn Du ein Team neu übernimmst und Dein Vorgänger zuvor am kurzen Seil geführt hat.

Gut, aber wie bekommst Du Deine Mitarbeiter nun konkret dazu, vorhandene Freiräume zu nutzen und immer mutiger und kreativer zu werden? Was am Berg die linke und die rechte Abfahrts-Spur ist, sind in Ihrem Unternehmen Begrenzungslinien zur Handlung. Linien, die einen klaren Handlungsrahmen umreißen. Einen Handlungsrahmen, der Ihren Mitarbeitern zeigt, in welchem Feld sie sich risikoarm bewegen können. Ein Rahmen, der ihnen klar beweist, dass ihnen hier keine Sanktionen drohen, falls etwas schief geht. Gleichzeitig gibt ein solcher Handlungsrahmen auch Ihnen als Führungskraft die Sicherheit, dass Ihre Mitarbeiter grundsätzlich im Sinne Ihres Unternehmens agieren.

Leader: Es mag widersprüchlich klingen, aber unter Bedingungen von Ungewissheit entsteht Freiraum durch Grenzen.

Freedom is created by boundaries

During the winter ski tours that I led as a mountain guide, I observed an interesting phenomenon again and again. After I had explained all the dos and don'ts and the tour group stood expectantly on the untracked deep powder slope, I finally encouraged the participants to give it a try on their own, without necessarily following the track I had set – I always skied ahead. Choosing their own line would give them the greatest deep powder pleasure. To take away any fears they might have, I added: "It is absolutely safe, you can draw your own line!" Of course, only if it was safe in terms of the avalanche situation.

And then the same thing would happen in almost every group: I go off and wave to the group from below to let them know they can follow individually. They leave, one after the other, and then they stay close to my tracks. They just don't dare to leave them. They obviously need this security to dare to ski downhill towards me. Usually except for one – let's call him "John", and there was one in every group – who not only understood what I was encouraging him to do, but also dared to put his own line into the slope.

I didn't stop giving participants the instruction to find their own way down, but at the same time I knew that on the next slope, most of them would again follow in my tracks, while "John" would again make his own turns. At some point I understood this: I can repeat this as often as I want, but the insecurity of the majority will remain. Until an idea came to me in one group. I took "John" aside. "John" is typically the best skier in the group and so I suggested the following to him: He should go down the left side of the slope; I wanted to take the right side. We would create a clearly defined space between our two tracks as boundaries, and down in the valley our tracks were to meet again. Then I told the group: "You can try anything between these two tracks."

And lo and behold, when all were down, there were a multitude of separate tracks in the snow on the slope. The participants had suddenly dared to make their own turns between our two tracks! They had twisted feistily down the slope. Some of them cautiously, and others picking up a fair speed. There was no sign of anyone having followed in my leading tracks.

People who have grown up with directive guidance often can't imagine how much freedom they really have when instructions are not forthcoming. And so, they won't stray very far from their usual way of thinking. If you ask your team for creative ideas, you may get rather conservative proposals – proposals that are very close to the usual business. The same happens if you suddenly ask your employees to give you critical feedback. They will be very, very hesitant to start. Maybe they will stretch outside their own self-imposed boundaries only after they have realized, through watching the trailblazers, that nothing bad really happens when they come out with their criticism.

You can count on it: You can impose freedom on people as loudly as you want, but your people won't rush to go out on a limb – neither in a discussion with you as boss, nor with creative suggestions concerning the business. If you have been leading with a short rope so far, you shouldn't suddenly expect those you lead to make courageous decisions. Their insecurity will always prevail at such moments. The same is true if you take charge of a new team and your predecessor has been a "short rope leader".

Fine, but how do you get your employees to stretch and use areas of freedom more courageously and more creatively? Just like there are those left and right downhill ski tracks on the mountain, there should be the same boundary lines for action within your company. Lines that outline a clear framework for action. A framework for action that shows your employees in which field they can move with low risk. A set of parameters that clearly demonstrates they will not be threatened with sanctions if something goes wrong. At the same time, such a framework also gives you as a manager the assurance that your employees are principally acting in the interests of your company.

Schitouren in den Purcell Mountains, Canada, 1996 ▶

Leader: It may sound contradictory, but under conditions of uncertainty, freedom is created by setting boundaries.

Seilpartner und Mit-Unternehmer: ein förderliches Umfeld schaffen

Je schwieriger die Kletterrouten, die meine Kunden Mitte der NeunzigerJahre kletterten, desto unbedeutender wurden meine Instruktionen für weitere Verbesserungen. Umso wichtiger wurde es aber, ein Umfeld zu schaffen, in dem Leistungszuwachs und Erfolg nahezu unausweichlich waren. Ich begann damit für Kunden mit ähnlichen Kletterambitionen jedes Frühjahr am Gardasee Sportklettercamps zu organisieren. Angenehme Temperaturen, optimaler Fels und perfekte Absicherung in quasi-mediterranem Ambiente waren die äußerlichen Zutaten für einen perfekten Rahmen. Dazu kam ein sozialer Rahmen bei diesen Sportklettercamps, den ich gezielt beeinflusste: Mit einem für Sportkletterverhältnisse äußerst frühen Beginn am Morgen konnte ich für meine Gruppen in den relativ stark frequentierten Sportklettergebieten am Gardasee nicht nur die besten Trainingsplätze besetzen, sondern auch implizit klar machen, dass es hier und jetzt um Leistung ging, ohne das Wort explizit in den Mund nehmen zu müssen. Außerdem etablierte ich einen Leistungsspirit der gegenseitigen Ermutigung, indem ich jedem Einzelnen in jedem Moment gratulierte und applaudierte, wenn er wieder ein kleines bisschen über sich selbst hinausgewachsen war. Das übertrug sich auf die ganze Gruppe und durch das ständige gegenseitige Anspornen, zusammen mit den perfekten Rahmenbedingungen, verzeichneten die Teilnehmer auf diesen Sportklettercamps regelmäßig eklatante Leistungszuwächse.

Einige von den Teilnehmern waren durch diese Trainingscamps so mit dem Klettervirus infiziert, dass sie im Sommer mit mir in den Bergen weiterklettern und in immer höhere Schwierigkeitsgrade vordringen wollten. Darunter waren Gerhard, Günther, Hubert. Am beeindruckendsten für mich war aber der Leistungszuwachs von Ludwig. Er war damals bereits 54 Jahre alt und hatte richtig Feuer gefangen. Er trainierte auch zwischen den gemeinsamen Kletteraufenthalten selbstständig intensiv. Als ich ihn einmal fragte, was ihn dazu antreibt so intensiv zu trainieren, erhielt ich eine überraschende Antwort: „Rainer, Du motivierst mich so!" Dabei machte ich doch gar nichts, was ich unter den Begriff Motivation gestellt hätte! Ich sagte: „Erzähl mir bitte, was Du damit genau meinst, Ludwig!" Er antwortete: „Rainer, Du brennst selber so für das Klettern, dass das richtig ansteckend wirkt. Außerdem forderst Du mich ganz schön – das ist zwar nicht immer gemütlich für mich, aber ich kann jetzt Sachen klettern, von denen ich dachte, das geht sich in diesem Leben nicht mehr für mich aus. Es geht immer um unseren gemeinsamen Erfolg und nicht um Dich – ich habe nicht das Gefühl Dein Kunde zu sein, sondern Dein Seilpartner. Und Spaß haben wir auch noch jede Menge zusammen."

Diese Aussagen haben mich noch lange beschäftigt. Mir ist dadurch später, als ich in das Feld der Organisationsberatung gewechselt war, so richtig klar geworden, dass viele Führungskräfte sich oft stillschweigend und manchmal unbewusst eine falsche Grundfrage stellen, wenn es um das Thema Motivation geht: „Wie bekomme ich mehr Leistung von Mitarbeitern?" Diese Frage sollte aus meiner Sicht allerdings völlig anders gestellt werden, nämlich: „In welchem Zustand muss ich sein, damit ich leistungssteigernd auf andere wirke?"

Nach meiner Beobachtung wirken Führungspersönlichkeiten dann leistungssteigernd auf andere Menschen, wenn sie:

> selber mit unaufgeregter Leidenschaft für eine gemeinsame Sache brennen;
> das noch nicht verwirklichte Potenzial in anderen sehen und dieses durch Zutrauen und herausfordernde Aufgaben zur Entfaltung bringen;
> sich für ein gemeinsames Anliegen einsetzen und den gemeinsamen Erfolg über die persönlichen Interessen stellen;
> Spaß am Miteinander haben und anderen mit Respekt und auf Augenhöhe begegnen.

Ich konnte als Bergführer für Extremrouten dadurch erfolgreich werden, dass ich ausgewählte Kunden nicht mehr als Kunden, sondern als Seilpartner sah und behandelte. Genauso brauchen Unternehmen, um unter ungewissen Bedingungen erfolgreich zu sein heute nicht einfach nur gute Mitarbeiter, sondern auch eine Schwungmasse von Mit-Unternehmern. Und Mit-Unternehmer muss man auch als solche behandeln und ihnen eine entsprechende Infrastruktur bieten.

Kurz vor dem Gipfel, Mont Blanc du Tacul, Frankreich, 1993 ▶

Leader: Schaff ein förderliches Umfeld und Rahmenbedingungen, die den Erfolg unausweichlich machen – und mach Dir bewusst, dass Du selbst eine der wichtigsten Rahmenbedingungen für den Erfolg Deiner Mitarbeiter bist. Und: Was würde möglich werden, wenn Du die Mitglieder Deines Teams nicht mehr als Mitarbeiter, sondern als Mit-Unternehmer siehst und behandelst?

Rope partner and intrapreneur: creating a conducive environment

The more difficult each climb was for my clients in the mid-nineties, the less important my instructions became for achieving further improvements. It became all the more necessary to create an environment where performance growth and success were almost inevitable. So I began to organize sport climbing camps every spring at Lake Garda for clients with similar climbing ambitions. Pleasant temperatures, optimal rock and perfect protection in a quasi-Mediterranean ambience were the external ingredients for a perfect setting. In addition, there was a social context at these sport climbing camps that I specifically sought to influence:

By starting extremely early – at least for sport climbing conditions – in the mornings, I was not only able to reserve the best training areas for my groups in the relatively highly frequented sport-climbing areas at Lake Garda, but also to make it implicitly clear that this was all about achievement. Without having to specifically say so. I also established a spirit of mutual encouragement by congratulating and applauding each individual at every moment they had again surpassed themselves a little bit. This transferred to the whole group and with the constant mutual encouragement, combined with the perfect conditions, the participants in these sport climbing camps regularly recorded spectacular performance gains.

Some of the participants were so infected with the climbing virus through these training camps that they wanted to continue climbing in the mountains with me in the summer and to advance to ever higher levels of difficulty. Among them were Gerhard, Günther and Hubert. But to me, Ludwig was the one who showed the most impressive increase in performance. He was already 54 years old at that time and had really taken to climbing – even training intensively on his own between the climbing camps. When I once asked him about what drove him to train so intensively, I received a surprising answer: "Rainer, you motivate me so much!"

Yet I wasn't doing anything that I would have called motivation! I said to him, "Please tell me what you mean exactly by that, Ludwig."

He replied: "Rainer, you yourself are so passionate about climbing that it's really contagious. Also, you challenge me a lot – it's not always comfortable for me, but I can now climb things that I thought I'd never be able to do in this life. It's always about our mutual success and not about you – I don't have the feeling of being your customer but your rope partner. And we have a lot of fun together, too."

These statements occupied me for a long time. Later, when I had changed over to the field of organizational consulting, they helped me realize that many managers tacitly, and sometimes unconsciously, ask themselves *the wrong basic question* when it comes to the topic of motivation: "How do I get better performance out of my employees?" In my view, however, the question should be asked in a completely different way, namely: "What state do I have to be in, to have a performance-enhancing effect on others?"

As I see it, leaders have a performance-enhancing effect on other people when they:

> burn with unagitated passion for a common purpose;

> see the untapped potential in others and develop it through expressing confidence in their ability and setting them challenging tasks;

> commit themselves to a common purpose and place joint success above personal interests;

> enjoy working together and meet others with respect and on equal terms.

◀ *Rainer Petek, Pillar of the Sea, Kalymnos, Griechenland*

I was able to become a successful mountain guide for extreme routes because I no longer saw and treated selected clients as customers but as rope partners. In the same way, to succeed under uncertain conditions, companies today need more than just good employees; they also need the momentum of intrapreneurs. And intrapreneurs must be treated as such and offered the appropriate infrastructure.

Leader: Create a conducive environment and the parameters that make success inevitable – and be aware that you yourself are one of the most important parameters for your employees' success. And: What would become possible if you no longer saw and treated the members of your team as employees but as intrapreneurs?

Vergemeinschaften
statt kommunizieren

————————

Unabhängig davon ob Du als Profibergführer mit einem Kunden unterwegs
bist oder ob Du mit einem gleichwertigen Seilpartner kletterst: Wenn
Du in einer gegebenen Teamkonstellation die Erfolgswahrscheinlichkeit
in einer extremen Nordwand-Route möglichst hoch und das Risiko
des Scheiterns bis hin zu einem Absturz möglichst gering halten
willst, sollten drei Erfolgsfaktoren ausgeprägt vorhanden sein.

Der erste Erfolgsfaktor ist gemeinsame Klarheit:

Worauf lassen wir uns hier ein; was ist die Natur der Herausforderung, vor der wir stehen?

Was wollen wir erreichen und vor allem, wie?

Was ist dazu von uns gemeinsam und von jedem einzelnen gefordert?

Der zweite Erfolgsfaktor ist das Commitment:

Ist jeder bereit das zu tun, was für den gemeinsamen Erfolg notwendig ist?

Auch wenn es nicht so läuft wie geplant, auch wenn das eine unverhältnismäßig große Anstrengung für einzelne bedeuten würde oder auch wenn es erforderlich sein sollte, dass sich einzelne zurücknehmen?

Der dritte Erfolgsfaktor ist Zusammenarbeit:

Wie interagieren wir?

Wie planen und entscheiden wir?

Wie unterstützen und ergänzen wir uns?

Welche Regeln und Prinzipien leiten unser Zusammenspiel?

Wie gehen wir mit Meinungsverschiedenheiten und Konflikten um?

Wie interagieren wir mit anderen?

Der Weg zu einer hohen Ausprägung bei diesen drei Erfolgsfaktoren führt über den gemeinsamen Dialog: reden, hinterfragen, reflektieren, vereinbaren und entscheiden. In einer neuen Teamkonstellation gehört dazu unabdingbar auch das Testen, Ausprobieren, Reflektieren und das neuerliche Vereinbaren und Entscheiden. Genau über diesen Prozess des Vergemeinschaftens entsteht die notwendige kollektive Substanz und der gemeinschaftliche Kitt, die über Erfolg und Scheitern unter extremen Rahmenbedingungen entscheiden. Es ist undenkbar, dass in einer Seilschaft zu Beginn einer den anderen unterrichtet, was in Bezug auf ein gemeinsames Vorhaben zu tun ist. Es braucht den Prozess der Vergemeinschaftung von Situationseinschätzung, Zielen und Optionen, von Spielregeln und leitenden Prinzipien, damit jeder einzelne in die notwendige Selbstverpflichtung gehen und zu sich sagen kann: Ja, ich bin dabei.

Was beim Klettern ein absolutes No-Go darstellen würde, ist nach meinen Beobachtungen in Organisationen gang und gäbe: eine Strategie wird in kleiner Runde formuliert, dann an die bis dato nicht beteiligten verkündet in der Erwartung, dass jene strategischen Leitgedanken, die sich über einen längeren Prozess bei den Entscheidern herausgebildet haben, in einer einstündigen Präsentation mit einer anschließenden 30-minütigen Q&A-Session verständlich gemacht werden könnten. Sie haben damit Information betrieben, aber nicht die kollektive Substanz gebildet, die für eine erfolgreiche Umsetzung der Strategie erforderlich ist.

Keinesfalls soll damit die Bedeutung oder der Wert von guter Information geschmälert werden. Es darf nur nicht dabei enden. Wenn Du willst, dass Strategien umgesetzt werden, und dass die nötigen strategischen Veränderungen swirksam werden, dann brauchst Du einen effektiven Vergemeinschaftungsprozess. Das bedeutet nun keinesfalls, dass alle Strategien in einem basisdemokratischen Prozess zustande kommen müssen. Es bedeutet schlicht und einfach, dass dem Prozess der Vermittlung und Information ein Prozess der intensiven Auseinandersetzung auf der kollektiven und individuellen Ebene zu folgen hat:

> Worauf lassen wir uns hier ein, also was ist die Natur der Herausforderung, vor der wir stehen?

> Was wollen wir erreichen und vor allem, wie?

> Was ist dazu von uns gemeinsam und von jedem einzelnen gefordert?

Das darüber gebildete Verständnis ist Basis für die Selbstverpflichtung bzw. das Commitment jedes Einzelnen.

Sehr oft lässt sich zudem nach Workshops oder Besprechungen beobachten, dass in der Umsetzung die vereinbarten Ziele und Vorgaben erodieren. Zudem erlebt man oft, dass Strategien individuell unterschiedlich interpretiert und umgesetzt werden. Ich empfehle daher Klarheit und Commitment über die Strategie bzw. das Vorhaben im Allgemeinen nach etwa zwei Dritteln der für die Besprechung oder den Workshop zur Verfügung stehenden Zeit erreicht zu haben. Damit steht noch ein Drittel der Zeit zur Verfügung, um gemeinsam die Umsetzung zu vereinbaren und die Zusammenarbeit zu klären. Daneben empfiehlt es sich für Leadership-Teams auch noch, eine One-Voice-Kommunikation im letzten Drittel der Workshop-Zeit zu formulieren. Nur so kann gewährleistet werden, dass wirklich alle nach dem Workshop oder der Besprechung die gleiche Geschichte erzählen. Ein solcher Vergemeinschaftungsprozess dauert naturgemäß etwas länger als eine Strategie zu verkünden und eine Q&A-Session anzuschließen. Der zeitliche Mehraufwand wird allerdings in einer koordinierten und stringenten Umsetzung um ein Vielfaches wettgemacht.

Leader: Mach Dir die Natur von Vergemeinschaftungsprozessen zu eigen und mach diese zu Deinem mächtigsten Werkzeug, um Klarheit, Commitment und Zusammenarbeit zu entwickeln.

Communitize, don't communicate

—————————

Regardless of whether you as a professional mountain guide are up a wall with a client or climbing with an equivalent rope partner, in any given team constellation on an extreme north face route, if you want to have the highest possible probability of success, and keep the risk of failure or even a fall as low as possible, three important success factors should be present.

The first success factor is common clarity:

What are we getting into here; what is the nature of the challenge we are facing?

What do we want to achieve and, above all, how?

What is required of us together and of each individual?

The second success factor is commitment:

Is everyone willing to do what is necessary for our common success?

Even if things do not go as planned, even if this would mean a disproportionate effort by individuals or even if individuals might need to play down their role?

The third success factor is collaboration:

How do we interact? How do we plan and decide?

How do we support and complement each other?

What rules and principles guide our interactions?

How do we deal with differences of opinion and conflicts?

How do we interact with others?

The way to achieve these three success factors is through common dialogue: talking, questioning, reflecting, agreeing and deciding. In a new team constellation it is also indispensable to test, try out and reflect as well as again to agree and decide. It is precisely through this process of communitization that the necessary collective substance and the social glue are created,

which decide on success and failure under extreme conditions. It is unthinkable that in a climbing team at the beginning one briefs the other what to do regarding a common venture. What is needed is the process of communitizing situation assessment, goals and options, rules of the game and guiding principles. This way each individual can make the necessary personal commitment and decide for himself or herself: "Yes, I'm in."

I have observed that what would be an absolute no-go in climbing is common practice in many organizations. A strategy is formulated – usually in a small(er) team – and then announced to those who, so far, have not been involved in its formulation, in the expectation that strategic guiding principles that have been developed over a longer process among decision-makers could be made comprehensible in a one-hour presentation followed by a 30-minute Q&A session. In doing so, they were providing information, but not forming the collective substance necessary to execute the strategy successfully.

In no way is this intended to diminish the importance or value of good information. It just must not end there. If you want strategies to be executed, and if you want the necessary strategic change to happen, then you need an effective communitization process. This does not mean that all strategies have to come about in a grassroots democratic process. It simply means that the process of information must be followed by a process of intensive dialogue at the collective and individual level.

> What are we getting into here; what is the nature of the challenge we are facing?
> What do we want to achieve and, above all, how?
> What is required of us together and of each individual?

The understanding formed about this is the basis for the self-commitment of each individual.

Very often, after workshops or meetings, the goals and objectives can be observed to be eroding in the execution phase. In addition, one often experiences that strategies are interpreted and implemented differently by one individual than by another. I therefore recommend that only about two-thirds of the time available for the meeting or workshop be dedicated to creating clarity and commitment about the strategy or the project. This leaves one-third of the time to agree on the implementation and to clarify the collaboration during this time. In addition, it is also recommended for leadership teams to formulate a one-voice communication in the last third of the workshop time. This is the only way to ensure that everyone really does tell the same story after the workshop or meeting.

Naturally, such a communitization process takes a little longer than the announcement of a strategy followed by a Q&A session. However, the additional time required is compensated many times over in a coordinated and stringent execution.

Leader: Embrace the nature of communitization processes and make them your most powerful tool in order to develop clarity, commitment and collaboration.

Ein Triple-A-Strategie-System

Die größten Erfolge als Profibergführer mit meinen Kunden gelangen mir
1996 und 1997. Darunter waren viele Routen, von denen ich als junger
Kletterer immer geträumt hatte: die „Don Quijote", eine elegante Linie im
oberen 6. Schwierigkeitsgrad in der 900 Meter hohen Marmolada-Südwand;
die Fuori-Kante im Bergell, eine extreme Granitkletterei im oberen
6. Schwierigkeitsgrad; der gesamte Salbit-Westgrat, eine nicht enden wollende
Serie von Grattürmen mit insgesamt unvorstellbaren 1,6 Kilometer Kletterlänge,
immer im 5. bis oberen 6. Schwierigkeitsgrad; die klassische Linie der „Via
delle Guide" durch die 800 Meter hohe Nordwand des Crozzon di Brenta;
die Andrich-Faè und die Tissi-Führe in der Civetta, und viele mehr.

Ich lebte *vom* Klettern und *für* das Klettern. Deshalb verbrachte ich durchschnittlich einen Monat pro Jahr in Südfrankreich, drei bis vier Wochen am Gardasee, drei bis vier Wochen in den Dolomiten, dazu zwei bis drei Wochen auf Mittelmeerinseln. Den Rest der Zeit verbrachte ich in den heimatlichen Wänden in Kärnten.

Diese Tätigkeit hatte zwei Seiten. Zum einen war da die große Faszination des Tanzes in der Vertikalen, die sinnliche Ästhetik der extremen Kletterei in atemberaubender Szenerie und das damit verbundene intensive Leben und Erleben. Zum anderen hieß es, in den langen extremen Routen zwanzig- bis dreißigmal am scharfen Ende des Seils die jeweils kommende Seillänge nach vorne ins Ungewisse zu klettern, bis die Wand endlich durchstiegen war. Noch dazu kletterte ich viele der extremen Felstouren mit den Kunden zum ersten Mal; das hieß, ich kannte die Kletterroute noch nicht. Ich wusste also niemals genau, was kommen würde; ich musste den Fels im Gehen entschlüsseln, musste den Routenverlauf finden und konnte dabei nur auf das Vertrauen in mich selbst bauen, es zu schaffen.

Es bedeutete nichts anderes, als dass ich meine Profession unter ständiger Anwesenheit von Lebensgefahr ausübte. Manchmal dauerte so ein Klettertag bis zu vierzehn Stunden, in Ausnahmefällen auch länger. Da es mein beruflicher Schwerpunkt war, musste ich diese extreme Leistung nicht nur an einem Tag, sondern an vielen Tagen in der Saison erbringen. Ich begriff im Tun, dass es hierbei nicht nur um die singuläre Problemstellung „Große Wand" ging, sondern dass darüber hinaus im Laufe der Zeit eine neue Herausforderung für mich entstand: die Aneinanderreihung vieler „Großer Wände".

Wenn man sich vor Augen hält, dass in den schweren Routen die vielen kleinen und die paar großen Entscheidungen ständig mit unzureichendem Informationsstand getroffen werden mussten, dann ist klar, dass der Aufmerksamkeit und Wachsamkeit eine Schlüsselrolle zukam. Strategisch denken und handeln bedeutete für mich, nicht einem rigiden Plan zu einem langfristigen Ziel zu folgen, sondern neben der Wachsamkeit für das Umfeld, in dem ich unterwegs war, auch mein Bewusstsein für eventuelle Folgewirkungen meiner Entscheidungen im Hier und Jetzt kontinuierlich zu schärfen.

Ein detaillierter fiktiver Saison-Plan zu Beginn des Klettersommers auf Basis der verfügbaren Daten wäre im Moment der Finalisierung schon wieder überholt gewesen. Zu dynamisch und unvorhersagbar sind die Variablen und Unbekannten in dieser Gleichung. Zudem hast Du bei Unternehmungen unter ungewissen Bedingungen immer erst am Ende des Vorhabens jene Informationen, die Du zu Beginn für einen sauberen Plan gebraucht hättest. Ich begnügte mich also damit, meine langfristige Entwicklungsrichtung grob zu kennen und entwickelte meine Strategie in einem kurz getakteten Rhythmus kontinuierlich weiter. Von Klettertour zu Klettertour und sogar in der jeweiligen Wand von Seillänge zu Seillänge, und das manchmal bis zu 36-mal pro Klettertag. Strategische

Wendigkeit – oder besser gesagt, die Wendigkeit meines Strategie-Systems – war Trumpf.

Im Jahr 2020 begegnen wir neuen und beispiellosen Graden der Ungewissheit. Waren die Geschwindigkeit des Wandels und das Ausmaß an Ungewissheit schon vor Coronavirus-Zeiten ständig gestiegen, so haben sich diese Umfeldfaktoren durch das Virus nochmals um ein Vielfaches gesteigert. Die Anforderungen an erfolgreiche Strategie-Arbeit haben sich irreversibel verändert. Es reicht nicht mehr, Grundstrategien langfristig festzuschreiben und anschließend an die Umsetzung und deren Steuerung zu gehen. Die Dynamik der Geschehnisse erfordert heute, die Vorhaben und Umsetzungsaktivitäten ständig zu aktualisieren. Viele strategische Konzepte, die noch immer – teils unbewusst – in unseren Köpfen wirken, wurden vor langer Zeit für ein Umfeld entwickelt, das heute nicht mehr existiert.

Neben Klarheit, Commitment und Zusammenarbeit im obersten Führungsteam des Unternehmens braucht heute jede selbstständige Geschäfteinheit ein Triple-A-Strategie-System. Die drei A stehen hier für:

- Awareness: es geht darum, im Führungsteam in Bezug auf die relevanten Umfeldentwicklungen ständig wachsam zu bleiben und die gemeinsame Aufmerksamkeit auf die leisen Signale der Zukunft zu richten. Gleichzeitig braucht es ein ausgeprägtes gemeinsames Bewusstsein für die Auswirkungen des gegenwärtigen Handelns und für die Zukunftswirkungen der heutigen Entscheidungen.

- Adaptiveness: es geht um die Fähigkeit, die Strategie und deren Umsetzung an die Dynamik des Umfeldes anzupassen und das optimale Zusammenspiel des eigenen unternehmerischen Wollens mit den tatsächlichen Gestaltungsmöglichkeiten am Markt zu organisieren. Eine unternehmerische „Seillänge" nach der anderen.

- Acceleration: gegenüber der meist trägen Herangehensweise in klassischen Strategie-Prozessen, braucht es heute einen beschleunigten Rhythmus in der Strategie-Arbeit, einen kontinuierlichen strategischen Dialog in vergleichsweise kürzeren Abständen.

Leader: Überprüf die aktuelle Art und Weise der Strategie-Arbeit in Deiner Organisation gemeinsam mit dem Führungsteam und ersetz diese durch ein Triple-A-Strategie-System, wenn das Team gemeinsam zu dem Schluss kommt, dass die Dynamik des Umfeldes dies erfordert.

A triple-A-strategy-system

I achieved my greatest successes as a professional mountain guide with my clients in 1996 and 1997, including many routes that I had always dreamed of climbing as a young climber: the "Don Quixote", an elegant line of grade VI+ in the 900-meter (2,950-foot) Marmolada south face; the Sciora di Fuori in Bergell, an extreme granite climb of grade VI+; the entire Salbit West Ridge, a never-ending series of ridge towers with a total of unimaginable 1.6 kilometers (1 mile) of climbing, all in grades V to VI+; the classic line of the "Via delle Guide" through the 800-meter (2,625-foot) north face of the Crozzon di Brenta; the Andrich/Faè and Punta Tissi routes in the Civetta, and many more.

I made my living *from* climbing and *for* climbing. That is why I used to spend an average of one month a year in southern France, three to four weeks in the Lake Garda region, three to four weeks in the Dolomites, plus two to three weeks on Mediterranean islands. The rest of my time I spent in my local climbing area in Carinthia.

This climbing life had two sides to it. On the one hand, it held the great fascination of dancing vertically, the sensual aesthetics of extreme climbing in breath-taking scenery and the intense living and experiences associated with it. On the other hand, in the long extreme routes, it meant climbing twenty to thirty times at the sharp end of the rope, edging forward into the unknown with each next pitch until topping out. Moreover, I climbed many of the extreme climbing routes with the clients for the first time ever, which meant that I didn't know the climbing route yet. So, I never knew exactly what was coming. I had to decipher the rock as I lead-climbed, and find the route with only my self-confidence that I could make it.

It meant that I was carrying out my profession with constant risk to my life. Sometimes, a climbing day would last up to fourteen hours, in exceptional cases even longer. Since it was my professional focus, I had to perform this extreme feat not only on one day, but on many days during the year. In doing so, I understood that this was not only about the singular problem of one "Big Wall", but that in the course of time yet another challenge would arise for me: the stringing together of many "Big Walls".

When you consider that in the difficult routes, many small and some big decisions had to be made constantly with insufficient information, it is clear that attention and vigilance played a key role. Thinking and acting

Ludwig am Gipfel der Sciora di Fuori, Bergell, Schweiz, 1996 ▶

strategically for me did not mean following a rigid plan towards a long-term goal, but rather, in addition to vigilance for the environment in which I was climbing, to continuously sharpen my awareness of potential consequences of my decisions in the here and now.

A detailed, fictitious one-year plan at the beginning of each climbing season based on the available data would have been outdated by the time of finalization. The variables and unknowns in this equation are too dynamic and unpredictable. In addition, when you undertake ventures under uncertain conditions, the information you would have needed at the beginning to draw up a proper plan becomes available only at the end of the project. So, I was satisfied to simply understand the direction of my long-term development and continuously developed my strategy in a fast-paced rhythm. From climbing tour to climbing tour, and even from pitch to pitch in the respective wall. Sometimes up to 36 times per climbing day.

Strategic agility, or better put, the agility of my system of strategies, became my trump card.

In 2020 we are facing new and unprecedented levels of uncertainty. While the speed of change and the degree of uncertainty had been increasing steadily even before the coronavirus times, these environmental factors have increased many times over due to the virus. The requirements for successful strategy work have changed irreversibly. It is no longer enough to define basic strategies for the long term and then to follow up their implementation and control. Today, the dynamics of events require us to constantly update our strategic plans and implementation activities. Many strategic concepts that still exert influence in our heads – sometimes unconsciously – were developed long ago for an environment that no longer exists today.

In addition to clarity, commitment and cooperation in the company's top management team, every independent business unit today needs a *triple-A strategy system*. The three A's here stand for:

- ‣ Awareness: it is a matter of remaining constantly alert in the leadership team with regard to relevant environmental developments and focusing attention jointly on the quiet signals of the future. At the same time, there needs to be a strong shared awareness of the effects of current actions and the future impact of today's decisions.

- ‣ Adaptiveness: it is about the ability to adapt the strategy and its implementation to the dynamics of the environment and to organize the optimal interplay of the company's own entrepreneurial will with the actual possibilities to act in and shape the market. One entrepreneurial "pitch" after the other.

- ‣ Acceleration: compared to the usually inert approaches in classic strategy processes, today's strategy work requires an accelerated rhythm, a continuous strategic dialogue at comparatively shorter intervals.

Leader: Review the current way of strategy work in your organization together with the leadership team and replace it with a *triple-A strategy system* if the team comes to the conclusion that the dynamics of the environment require you to do so.

ÜBER RAINERS ARBEIT
ABOUT RAINER'S WORK

Keynote Speaking

Tagungen & Konferenzen

In seinen Vorträgen und Keynotes lädt Rainer Petek seine Zuhörer zu einem radikalen Ortswechsel des Denkens ein und konfrontiert den Denk- und Handlungsrahmen von Führungskräften mit dem Denken und Handeln des Extrem-Kletterers. Er rüttelt auf, er inspiriert. Rainer Petek kombiniert packende Geschichten und eindrucksvolle Bilder mit unternehmensrelevanten Fragestellungen, was einen extrem hohen Aufmerksamkeitslevel und einen emotional verankerten Erinnerungswert garantiert. Die Zuhörer erhalten sowohl provokante Denkanstöße als auch pragmatische Transfer-Impulse für ihre Unternehmens-Herausforderungen und erhöhen so ihre Handlungsoptionen im erfolgreichen Umgang mit Ungewissheit und dem Unerwarteten.

Management-Klausuren

Manchmal sind kraftvoll-provokante Impulse in Kombination mit konstruktiv-kritischen Dialogen im kleineren Kreis besonders sinnvoll. Rainer Petek spricht als erfahrener Begleiter von Management-Klausuren gerne auch in kleinen Runden interaktiv. Er greift Ideen auf, hinterfragt und führt Teams im Dialog zu deren Schlüsselstellen für den nächsten Entwicklungsschritt. Wenn bei größeren Teams ein interaktives Format gewünscht ist, gestaltet Rainer Petek gerne auch einen strukturierten Kurz-Workshop im Anschluss an den Vortrag.

Rainer Petek spricht sowohl persönlich vor Ort sowie Dank top of the art Videotechnik auch remote und in hybriden Formaten.

www.rainerpetek.de

Keynote Speaking

Meetings & Conferences

Rainer Petek shows similarities between mountain climbing and business that are much more than just metaphors. He inspires and excites his audience. Rainer Petek combines thrilling climbing stories with today's business challenges and ensures an extremely high level of attention. His keynotes have a long-lasting impact on people and help leaders drive their business forward. Participants will get empowered mentally and practically in coping with uncertainty and the unexpected and will welcome tough business challenges.

Management Retreats

Sometimes it is better to combine thought-provoking impulses with frank discussions in a smaller management circle. With twenty years of experience as a facilitator of strategic dialogue sessions and top-leadership meetings, Rainer Petek is also available for interactive sessions in your management team. For larger teams he is able to combine his speech with a subsequent interactive workshop-structure, like an open space or world café.

Rainer Petek speaks both in-person at events and, thanks to top of the art video technology, also remotely and in hybrid formats as well.

www.rainerpetek.com

Strategic Advisor
für Executive Teams

———————

Wenn Executives frustriert sind über die Anzahl der Meetings, an denen sie teilnehmen, und über die Zeit, die sie damit verbringen, Abteilungen und Bereiche zur Zusammenarbeit zu bewegen, oder über die vergeudeten Wochenenden, die sie mit der Bekämpfung von Brandherden im Unternehmen verbringen, dann sind sie bei Rainer Petek an der richtigen Adresse. Rainers Kunden verbringen mehr Zeit damit, die Welt vom Gipfel zu betrachten – mehr Zeit für strategisches Denken, Innovationen, den Aufbau von wichtigen Beziehungen und die Inspiration von Mitarbeitern.

Eine kleine Anzahl von Executive Teams pro Jahr hat die Möglichkeit ein ganzes Jahr lang eng mit Rainer zusammenzuarbeiten, was bedeutet, dass sie einen beispiellosen Zugang zu Rainer und seinen Methoden haben. Dabei entsteht ein hohes Maß an Vertrauen und die Executive Teams machen große Leistungssprünge. All diese „Expeditionen" für Executive Teams sind auf die „Nordwand" des jeweiligen Unternehmens zugeschnitten.

Typischerweise moderiert Rainer spezielle Retreats und ausgewählte Meetings für Executive Teams, bietet aber auch individuelle Beratung und Sparring für Mitglieder des Boards an, um ihnen bei der Bewältigung von Ausnahmesituationen zu helfen. Typische Ergebnisse der Zusammenarbeit sind gemeinsame Klarheit, erhöhtes strategisches Bewusstsein und gesteigertes Vertrauen im Top-Management-Team sowie ein gemeinsamer strategischer Aktionsplan einschließlich einer mitreißenden Geschichte über die Ambition des Unternehmens, die bei der Kommunikation an die Mitarbeiter dabei hilft, das volle Potenzial der Organisation zu mobilisieren.

www.rainerpetek.de

Strategic Advisor for Executive Boards

If executives are frustrated at the number of meetings they're attending, the amount of time they spend getting divisions to work together, or the wasted weekends spent fighting corporate fires, then they're in the right place with Rainer Petek. Rainer's clients get to spend more time looking at the view from the summit – more time for strategic thinking, innovating, building relationships and inspiring colleagues.

A small number of executive boards per year are able to work closely with Rainer for a whole year, which means they have unparalleled access to Rainer and his methodologies. Working side-by-side for a long time generates huge levels of trust and client teams make great leaps in performance. All of these exec board 'expeditions' are tailored to the corporate 'north face' of Rainer's clients.

Typically Rainer will facilitate special retreats and selected meetings for the exec team but also provide individual advisory and sparring to members of the executive board, to help them address exceptional situations. Typical outcomes are common clarity, heightened strategic awareness and increased trust in the top management team and a joint strategic action plan including a compelling story about the company's ambition, that will help them to mobilize the full potential of the organization.

www.rainerpetek.com

Leadership Development & Change Consulting

Rainer Petek begleitet seit 1998 global tätige Unternehmen in herausfordernden Situationen und Umbruchphasen, bei Change-Vorhaben und der Entwicklung von neuen Formen von Führung und Zusammenarbeit. Viele Organisationen sind aufgrund steigender Komplexität und Veränderungsdynamik des Umfeldes gefordert sich von hierarchischen Pyramiden und in sich getrennten Silo-Formen hin zu dynamischen, vernetzten Gebilden zu entwickeln.

In Zukunft werden für viele Unternehmen völlig neue organisationale Fähigkeiten gefordert sein: die Zusammenarbeit in horizontalen, hierarchie- und bereichsübergreifenden Netzwerken, in denen Einzelne und Teams in freier Dynamik miteinander anstehende oder neu entstehende Aufgaben in flexibler Kooperation lösen. Das erfordert einerseits strukturelle Veränderungen, die sorgfältig begleitet werden wollen. Gleichzeitig hinkt das klassische Bild von Führung diesen Veränderungen hinterher, ja steht diesen Entwicklungen sogar im Weg.

Rainer Petek hilft seinen Kunden neue Strukturen und *Ausgerichtete Autonomie* zu etablieren und damit den Wandel von der anleitenden Mitarbeiterführung hin zur organisationsweiten Etablierung von Selbstführung zu meistern und das selbstorganisierte Zusammenspiel und Zusammenwirken aller Führungskräfte im Sinne der Unternehmensstrategie zu etablieren.

Er ist außerdem Gründungspartner des Beratungsunternehmens 3U Leaders in Salzburg.

www.rainerpetek.de

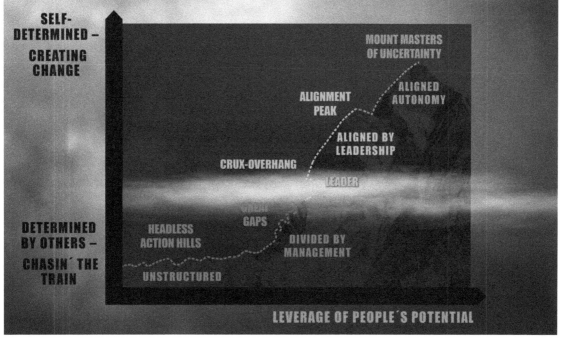

Leadership Development & Change Consulting

Since 1998 Rainer Petek has accompanied globally active companies in challenging situations and phases of upheaval, in change projects and the development of new forms of leadership and collaboration. Due to the increasing complexity and change dynamics of the environment, many organizations are challenged to transform themselves from hierarchical pyramids and separate silo forms to more dynamic, networked structures.

In the future, for many companies success will require completely new organizational skills: collaboration in horizontal, cross-hierarchical and cross-divisional networks in which individuals and teams work together in free dynamics to solve pending or newly arising tasks in flexible cooperation. On the one hand this requires structural changes that need to be carefully guided. At the same time, the classic image of leadership is lagging behind these changes, and even stands in the way of these developments.

Rainer Petek helps his clients to establish new structures and *Aligned Autonomy* and therefore to master the change from instructive employee leadership to the organization-wide establishment of self-leadership, and to establish the self-organized interaction and collaboration of all leaders in the sense of the corporate strategy.

He is also a founding partner of the consultancy 3U Leaders based in Salzburg.

www.rainerpetek.com

Silicon Valley Know-how für Rainers Kunden

Intrapreneurship Development

Dass viele Unternehmen puncto Innovation weit hinter ihren Erwartungen zurückbleiben, liegt weniger an den eingesetzten Methoden und Werkzeugen. Das größte und meist gar nicht bewusste Problem besteht darin, dass die meisten Firmen ihre Mitarbeiter nach den Regeln des Industriezeitalters rekrutieren, weiterbilden und einsetzen. Gerade aber für Innovationsvorhaben gilt es die richtigen Teams mit den richtigen Leuten und dem richtigen Können auf die richtigen Projekte anzusetzen.

Rainer Petek ist strategischer Partner von Swarm Vision, einer SaaS-Plattform, die Unternehmen hilft Innovationstalente zu identifizieren, zu entwickeln und in schlagkräftigen Teams zu organisieren. Gründerin und CEO Suzan Briganti hat zur Entwicklung des Algorithmus die weltgrößte Studie von Serien-Innovatoren durchgeführt und unterstützt heute Kunden wie Heineken, Gore und Hewlett Packard bei der Stärkung der Innovationskraft. Suzan Briganti wurde im Silicon Valley geboren, in dessen Zentrum in Palo Alto ihr Unternehmen Swarm Vision seinen Sitz hat. Darauf aufbauend berät Rainer seine Kunden bei der Entwicklung von Intrapreneuren und Innovatoren in ihren Organisationen.

www.rainerpetek.de
www.swarmvision.com

Silicon Valley Know-how for Rainers clients

Intrapreneurship Development

The fact that many companies fall far short of their expectations when it comes to innovation is less due to the methods and tools used. The biggest problem, and one that is usually not even consciously acknowledged, is that most companies recruit, train and deploy their employees according to the rules of the industrial age. However, especially for innovation projects it is important to have the right teams with the right people and the right skills for the right projects.

Rainer Petek is a strategic partner of Swarm Vision, a SaaS-platform that helps companies to identify, develop and organize innovation talent in powerful teams. Founder and CEO Suzan Briganti conducted the world's largest study of serial innovators to develop the algorithm and today supports clients such as Heineken, Gore and Hewlett Packard in strengthening their innovation power. Suzan Briganti was born in Silicon Valley, with her company Swarm Vision based in Palo Alto. Building on this, Rainer advises his clients on the development of intrapreneurs and innovators in their organizations.

www.rainerpetek.com
www.swarmvision.com

EXECUTIVE SUMMARY

FIND OUT WHAT KIND OF INNOVATOR YOU ARE

All humans are innovators. Whether it's improving an existing process, or inventing the previously unimaginable, we humans just can't stop ourselves from fiddling with things.

THE 4 INNOVATION TYPES

Swarm Vision conducted the world's largest study of serial, successful innovators. The research found that there are four types of innovators: **Optimizers, Energizers, Explorers and Transformers.** Organizations need all four types of innovators to stay healthy.

OPTIMIZERS

CONTINUOUS IMPROVEMENT

On a good day, you eliminate friction, waste and cost. Make good things available to more people. Increase efficiency and rack up savings and profits.

On a bad day, you default to "no;" resist or undermine larger changes. Can be very process-oriented and rule-following, which can block larger change.

ENERGIZERS

INCREMENTAL INNOVATION

On a good day, you extend the life of existing products and services. Renew customers' interest in the brand. Keep products relevant to changing trends.

On a bad day, you proliferate product variants that confuse customers. Obsess about line extensions without clear benefits or differentiation.

EXPLORERS

ADJACENT INNOVATION

On a good day, you Identify adjacent opportunities to expand the business, whether that's the same customer, different use case; or new but related customer segments.

On a bad day, you Have a tendency to perceive "the grass is always greener on the other side." Underestimate the differences in adjacent opportunities.

TRANSFORMERS

TRANSFORMATIONAL INNOVATION

On a good day, you see large shifts in markets before others do. Wade into the unknown. Make transformative ideas real so others can see and use them. See the intersection of trends.

On a bad day, you can be insensitive to the disruption in jobs and lives that transformative ideas can cause. Lack patience and political skill to advance your ideas.

The four innovation horizons correspond to four types of innovators, according to where you thrive. Think of the four types as an array from (left) people who thrive in the current, well-defined, core business, to (right) people who thrive in the unknown, future business.

Silicon Valley Know-how für Rainers Kunden

Workplace Design

Raum beeinflusst unser Verhalten. Intelligente Raumkonzepte steigern die Innovationskraft und stärken die Kreativität und Zusammenarbeit im Unternehmen. Ganz zu schweigen davon, dass Sie die besten Mitarbeiter nur mit einem attraktiven Arbeitsumfeld anziehen werden können. Raum ist ein Erfolgsfaktor, den beispielsweise die Innovationsführer im Silicon Valley schon lange gezielt nutzen. Rainer Petek ist zum Thema Workplace Design strategischer Partner von room to grow Innovation – Irene Graf. www.roomtogrow.de

Irene Graf, Architektin, und Rainer Petek sind auch privat ein Paar und haben auf mehreren Studienreisen die führenden Unternehmen des Silicon Valley besucht, deren Arbeits- und Bürolandschaften analysiert und dabei den Code für kreative Räume entschlüsselt: verbindende Gestaltungsmuster, die sich bei allen innovativen Firmen in den Raum- und Flächenkonzepten widerspiegeln. Von diesem Know-how können nun Unternehmen in Europa durch Inspirationsvorträge und Beratung bei der Entwicklung von Raumkonzepten für mehr Innovation und Zusammenarbeit profitieren. Zusammen haben die beiden zwei Bücher zum Thema New Work, Homeoffice und Raumkonzepte der Zukunft publiziert.

www.roomtogrow.de

Silicon Valley Know-how for Rainer's clients

Workplace Design

Workspace influences our behaviour at work. Smart workplace concepts increase the power of innovation and strengthen creativity and collaboration within the company. Not to mention the fact that you can only attract the best employees with an attractive work environment. Deliberate design of space is a success factor that the innovation leaders in Silicon Valley, for example, have long been making targeted use of. In terms of workplace design Rainer Petek is the strategic partner of room to grow Innovation – Irene Graf.

Irene Graf, architect, and Rainer Petek are also a couple in private life and have visited the leading companies in Silicon Valley on several inspiration journeys. They have analyzed their work and office landscapes and deciphered the code for creative spaces: unifying design patterns that are reflected in the space and area concepts of all innovative companies. Companies in Europe can now benefit from this know-how through inspirational presentations and advice on developing smart workplace concepts for more innovation and collaboration. Together, they have published two books on the subject of new work, home office and workplace concepts of the future.

www.roomtogrow.de

Rainer Petek's SUMMIT CIRCLE

Die Executive Community

An der Spitze ist es oft sehr einsam. Deswegen organisiert Rainer Petek seit Jahren Mastermind-Zirkel für Manager, um den interdisziplinären Austausch und die branchenübergreifende Vernetzung von Unternehmern und Unternehmensleitern zu fördern. Die Erfahrungen und Feedbacks bewogen ihn dazu 2019 eine spezielle Executive Community aus der Taufe zu heben:

Rainer Peteks SUMMIT CIRCLE ist ein sorgfältig ausgewählter Kreis von Top-Führungspersönlichkeiten, der sich regelmäßig in diskreter Atmosphäre trifft, um Erfahrungen auszutauschen und sich gegenseitig zu inspirieren. Rainer Petek bringt dabei immer auch Impulse und die neuesten Entwicklungen aus dem Silicon Valley und von seinen Reisen darüber hinaus ein. Auch wenn sich der SUMMIT CIRCLE, z.B. während des Lockdowns im Frühjahr 2020, in kürzeren Abständen virtuell trifft, bleibt das Jahres-Highlight ein herbstliches Zusammenkommen in den Bergen in gepflegter Atmosphäre.

www.rainerpetek.de

The Executive Community

It is often very lonely at the top. That's why Rainer Petek has been organizing Mastermind Circles for managers for years, in order to promote interdisciplinary exchange and cross-industry networking between entrepreneurs and company managers. His experiences and feedback prompted him to launch a special executive community in 2019:

Rainer Petek's SUMMIT CIRCLE is a carefully selected circle of top managers who meet regularly in a discreet atmosphere to exchange experiences and inspire each other. Rainer Petek always brings impulses and the latest developments from Silicon Valley and from his travels beyond. Even if the SUMMIT CIRCLE meets virtually at shorter intervals, e.g. during the lockdown in spring 2020, the annual highlight remains an autumnal gathering in the mountains in a cultivated atmosphere.

www.rainerpetek.com

Danksagung

Berge besteigt man am besten gemeinsam.

Und auch Bücher schreibt man niemals alleine. Ich bin allen hier genannten und vielen hier nicht genannten zu großem Dank verpflichtet:

> Meiner wundervollen Frau Irene, die während dieses Buch entstanden ist, ein Haus für unsere Familie geplant und „gebaut" hat.
> Bernd Ritschel und Ralf Gantzhorn für die sensationellen Bilder.
> Meinen Seilpartnern und Kletterkunden, welche die eigentlichen Hauptdarsteller in den Berggeschichten dieses Buches sind.
> Meinen Berater- und Rednerkolleginnen und -kollegen, die rund um den Erdball eine nicht versiegende Inspirationsquelle für mein heutiges Wirken darstellen und Unterstützung geben, wann immer ich selbst Rat brauche.
> Mike Handcock und Landi Jack für die Inspiration zu diesem Buch.
> Indie Experts für das Sparring und die Unterstützung bei der Realisierung dieses Buchprojektes.

Acknowledgements

Mountains are best climbed together.

And you never write a book alone. I am very grateful to all those mentioned here and many not mentioned here:

> To my wonderful wife Irene, who, while writing this book, planned and "built" a house for our family.
> Bernd Ritschel and Ralf Gantzhorn for the sensational pictures.
> My rope partners and climbing clients, who are the real protagonists in the mountain stories of this book.
> My fellow advisors and speakers, who around the globe are a never-ending source of inspiration for my work today and provide support whenever I need advice myself.
> Mike Handcock and Landi Jack for the inspiration for this book.
> Indie Experts for sparring and supporting this book project.

Über Rainer Petek

Rainer Petek, 1965 in Klagenfurt/Österreich geboren, begann im Alter von 16 Jahren mit dem Klettern. Bereits als 19jähriger durchstieg er die berühmte Nordwand der Grandes Jorasses, über den berüchtigten Walker-Pfeiler. Rainer Petek war vier Jahre Offizier auf Zeit bei einer Hochgebirgseinheit des österreichischen Bundesheeres und wurde 1987 zum jüngsten Heeresbergführer der zweiten Republik ernannt. Danach gründete er sein erstes Unternehmen, high life Alpinsport.

Als Profibergführer führte Rainer Petek über 12 Jahre Kunden in die Berge und gehörte in den 1990er-Jahren zu den wenigen Bergführern, die mit Kunden auch extrem schwierige Klettertouren, wie die „Don Quixote" im VI+ Grad in der 900 Meter hohen Südwand der Marmolada, bewältigen konnten. Er führte Gruppen auf 6000er im Himalaja und kletterte selbst Sportkletterrouten im 9. Schwierigkeitsgrad der UIAA-Skala.

Rainer Petek ist Master of Science in Organizational Development und Gründungspartner des Beratungsunternehmens 3U Leaders mit Sitz in Salzburg, Österreich. Seit 1998 begleitet er global tätige Unternehmen in herausfordernden Situationen und Umbruchphasen, bei Change-Vorhaben und der Entwicklung von neuen Formen von Führung und Zusammenarbeit. Laufend beobachtet und analysiert er dazu besonders innovative Unternehmen und ist durch sein Netzwerk im Silicon Valley immer am Puls der Zeit. Rainer Petek lebt mit seiner Frau und seinen zwei Töchtern in der Nähe des Chiemsees in Bayern, Deutschland.

Rainer Petek ist Autor mehrerer Bücher und Fachpublikationen. Er lehrte Leadership und Change Management als Dozent an Universitäten und Hochschulen, wie zum Beispiel im Executive MBA-Programm der Donau Universität Krems oder der Griffith University in Brisbane/Australien.

www.rainerpetek.de

About Rainer Petek

Rainer Petek, born 1965 in Klagenfurt, Austria, started climbing at the age of 16. At the early age of 19 he climbed the famous north face of the Grandes Jorasses, over the notorious Walker-Spur. Rainer Petek was a temporary officer for four years in a high mountain unit of the Austrian Armed Forces and was appointed the youngest Heeresbergführer of the Second Republic in 1987. He then founded his first company, high life Alpinsport.

As a professional mountain guide Rainer Petek led clients into the mountains for more than 12 years. In the 1990s he was one of the few mountain guides who were able to master extremely difficult climbing tours with clients, such as the "Don Quixote", a grade VI+ route on the 900-meter-high south face of the Marmolada. He led groups up to 6000-meter summits in the Himalayas and climbed even sport climbing routes at ninth grade of difficulty on the UIAA scale.

Rainer Petek is Master of Science in Organizational Development and founding partner of 3U Leaders, a consultancy based in Salzburg, Austria. Since 1998 he has been supporting global companies in challenging situations and phases of change, in transformation projects and the development of new forms of leadership and collaboration. He continuously observes and analyzes particularly innovative companies and, through his network in Silicon Valley, always has his finger on the pulse. Rainer Petek lives with his wife and two daughters near Lake Chiemsee in Bavaria, Germany.

Rainer Petek is the author of several books and publications. He has taught Leadership and Change Management as a lecturer at universities and colleges, such as the Executive MBA program at Danube University Krems and Griffith University in Brisbane Australia.

www.rainerpetek.com

Zu den Fotos in diesem Buch

Als ich 1980 mit dem Klettern und Bergsteigen begann, dachte ich nicht im entferntesten daran, dass die Fotos unserer Touren später einmal von beruflicher Bedeutung für mich sein könnten. Die Aufnahmen sollten in erster Linie Erinnerungsstücke für meine Seilpartner und mich sein. Dementsprechend fotografierten wir gemäß unseren damaligen finanziellen und technischen Möglichkeiten. Zudem stand immer das Klettern und Sichern des Partners im Vordergrund, Aufnahmen wurden nur schnell zwischendurch einhändig gemacht, da die andere Hand natürlich immer am Seil war.

Später als professioneller Bergführer wurde ich stolzer Besitzer einer Leica, die ich aufgrund des Gewichts jedoch nicht immer dabei hatte. Zudem war ich als Bergführer noch mehr gefordert die Sicherheit meiner Kunden zu jedem Zeitpunkt zu gewährleisten. Somit rückte das *gute Foto* noch weiter in den Hintergrund und war immer nur ein Nebenprodukt. Trotzdem haben die eigenen Fotos einen großen Dokumentationswert, auch wenn die Qualität naturgemäß manchmal sehr zu wünschen übrig lässt. Ich habe mich daher entschlossen, diese Zeitzeugnisse in diesem Buch zu verwenden.

Nachdem mein Beruf – früher am Berg, heute im Business – immer darin bestanden hat, anderen Menschen professionelle Unterstützung zu bieten, war es für mich nur selbstverständlich, mir für dieses Buch, das auch durch die Bilder wirken soll, selbst zusätzlich Unterstützung von Profifotografen zu holen. Ich bin stolz und dankbar, dass ich zwei der Besten für die Zusammenarbeit an diesem Buchprojekt gewinnen konnte: Bernd Ritschel und Ralf Gantzhorn. Beide waren auf den Routen unterwegs, die auch ich geklettert bin und konnten sensationelle Aufnahmen beitragen – sie werden auf den folgenden Seiten noch näher vorgestellt. Die Zusammenarbeit mit den Beiden war Fest und Freude zugleich.

Umso fassungsloser und trauriger war ich, als ich erfahren musste, dass Ralf Gantzhorn, wenige Wochen nachdem er mir seine Bilder für dieses Buch übermittelt hatte, Ende Juni 2020 durch ein tragisches Mißgeschick in seinen geliebten Bergen ums Leben gekommen war. Es ist ein Anliegen seiner Familie, dass seine Bilder weiter im Umlauf bleiben und begonnene Projekte weitergehen, um so Ralfs Bildererbe gerecht zu werden. Als Bernd Ritschel und ich Ende Juli 2020 in den Dolomiten abschließende Aufnahmen für dieses Buch gemacht haben, waren wir in Gedanken bei Dir, Ralf. Danke, mein Freund, es war mir eine Ehre Dich gekannt und mit Dir gearbeitet zu haben!

About the photos in this book

When I started climbing and mountaineering in 1980, I didn't think remotely that the photos of our tours might be of professional importance to me later. The photos should primarily be souvenirs for my rope partners and me. Accordingly, we took photos according to our financial and technical possibilities at that time. In addition, the climbing and belaying of the partner was always in the foreground; photos were only taken quickly in between with one hand, since the other hand was of course always on the rope.

Later, as a professional mountain guide, I became the proud owner of a Leica, which I did not always have with me due to its weight. Furthermore, as a mountain guide I was even more required to ensure the safety of my clients at all times. So the *good photo* was pushed even further into the background and was always just a by-product. Nevertheless, my own photos have a great documentation value, even if the quality of the photos leaves a lot to be desired. I have therefore decided to use these testimonies in this book.

Since my profession – formerly on the mountain, now in business – has always consisted of offering professional support to other people, it was only natural for me to get additional support from professional photographers for this book, which should also speak to its readers through the pictures. I am proud and grateful that I was able to win over two of the best photographers to cooperate on this book project: Bernd Ritschel and Ralf Gantzhorn. Both had been on the routes I climbed and were able to contribute sensational pictures – they will be presented in more detail on the following pages. The cooperation with the two was both a celebration and a pleasure.

I was all the more in disbelief and saddened to learn that Ralf Gantzhorn, a few weeks after he had sent me his pictures for this book, had died in his beloved mountains at the end of June 2020 due to a tragic mishap. His family was adamant that his pictures continue to circulate and that projects that have been started be completed in order to do justice to Ralf's photographic legacy. When Bernd Ritschel and I took final photographs for this book in the Dolomites at the end of July 2020, our thoughts were with you, Ralf. Thank you, my friend, it was a pleasure to have known you and worked with you!

Bernd Ritschel

Bernd Ritschel, 1963 im oberbayerischen Wolfratshausen geboren, bereist seit gut 35 Jahren die Gebirge
und Kontinente dieser Erde. Viele Expeditionen in den
Himalaya, nach Alaska, in die Anden oder die Arktis
führten ihn auch auf Gipfel über 7000 Meter. Aus dem
begeisterten Extrembergsteiger wurde ein international
erfolgreicher Profifotograf. Zusammen mit seiner Frau
Manuela und Tochter Clarissa lebt er seit vielen Jahren
in Kochel am See.

*„Die Kamera ist seit über 30 Jahren mein
ständiger Begleiter in den Bergen. Zu Beginn
stand die Dokumentation unserer Touren und
Expeditionen im Vordergrund. Es folgte eine Phase
anspruchsvoller und spannender Werbefotografie.
In den kommenden Jahren möchte ich meine Fotografie
stärker der abstrakten Fotokunst widmen – einfach
alleine oder auch mit guten Freunden eine intensive
Zeit in den Bergen verbringen – authentisch,
emotional – back to the roots.“*

Seine Aufnahmen wurden unter anderem veröffentlicht in
über 80 Kalendern, namhaften Magazinen wie National
Geographic, Geo, Stern, Geo Saison, Abenteuer & Reisen;
ADAC Spezials, sowie fast allen europäischen Ski- und
Bergmagazinen, sowie in über 30 Bildbänden (u.a. Berge
im Licht, Wilde Alpen, Hütten – Sehnsuchtsorte in den
Alpen, Dark Mountains, Bergheimat Bayerische Alpen
und zuletzt Alpengletscher – Eine Hommage) sowie in
vielen Lehrbüchern wie z.B. dem Bestseller Fotografie.

Bernd Ritschel gehört heute zu den bekanntesten
Berg- und Outdoorfotografen Europas.

www.lightwalk.de

Bernd Ritschel

Bernd Ritschel, born in 1963 in Wolfratshausen, Upper Bavaria, has been traveling the mountains and continents of this earth for a good 35 years. Many expeditions to the Himalayas, Alaska, the Andes or the Arctic have taken him to peaks above 7000 meters. The enthusiastic extreme mountaineer became an internationally successful professional photographer. Together with his wife Manuela and daughter Clarissa, he has lived in Kochel am See for many years.

"The camera has been my constant companion in the mountains for over 30 years. In the beginning, the focus was on documenting our tours and expeditions. A phase of demanding and exciting commercial photography followed.

In the coming years I would like to dedicate my photography more to abstract photo art – simply alone or with good friends, spending an intensive time in the mountains – authentic, emotional – back to the roots."

His photographs have been published in over 80 calendars, renowned magazines such as National Geographic, Geo, Stern, Geo Saison, Abenteuer & Reisen; ADAC Specials, as well as almost all European ski and mountain magazines, and in over 30 illustrated books (including Berge im Licht, Wilde Alpen, Hütten – Sehnsuchtsorte in den Alpen, Dark Mountains, Bergheimat Bayerische Alpen and most recently Alpengletscher – Eine Hommage) as well as in many textbooks such as the bestseller Fotografie.

Today Bernd Ritschel is one of the most famous mountain and outdoor photographers in Europe.

www.lightwalk.de

Ralf Gantzhorn (1964–2020)

»Gute Bilder sind – neben einer guten Kletter-route – der einzig vernünftige Grund früh aufzustehen.«

Ralf Gantzhorn wurde 1964 in Eutin/Schleswig-Holstein geboren und lebte viele Jahre in Hamburg. Am 24. Juni 2020 ist Ralf Gantzhorn bei einer Tour in der Cheselenflue im Melchtal (Kanton Oberwalden, Schweiz) tödlich verunglückt.

Die Kamera war über 30 Jahre sein ständiger Begleiter. Während am Anfang einfach nur die Doku-mentation einer Reise im Vordergrund stand, war sie seit 2004 Berufswerkzeug.

Die intensive und authentische Darstellung hoch-alpiner Touren stand im Mittelpunkt seines Schaffens. Dutzende von Reisen führten ihn dabei in fast alle Gebirge dieser Erde, darunter unter anderem nach Patagonien und Feuerland, Schottland, Georgien, Pakistan, Nepal und USA. Besonders angetan hatte es ihm aber die Kombination von Bergen und Meer. Deswegen ist es nicht verwunderlich, dass Patagonien mit über fünf Jahren an Reiseerfahrung und Schott-land zu seinen absoluten Lieblingszielen gehörten. Das Ergebnis spiegelt sich in rund 10 Bildbänden, diversen Führern und Lehrbüchern, Kalendern sowie ungezählten Publikationen in internationalen und deutschsprachigen Magazinen (u.a. in Abenteuer & Reisen, Alpin, Alpinist, Berge, Bergsteiger, Climb, Fit for Fun, GEO, GEO Saison, Land der Berge, Klettern, Mare, Outdoor, Segeln, Der Spiegel, Vertical, Yacht etc.).

www.ralf-gantzhorn.de

Ralf Gantzhorn (1964–2020)

"Good pictures are – besides a good climbing route – the only sensible reason to get up early."

Ralf Gantzhorn was born in 1964 in Eutin, Schleswig-Holstein, and lived in Hamburg for many years. On June 24, 2020, Ralf Gantzhorn died in a fatal accident during a tour in the Cheselenflue in Melchtal (Canton Oberwalden, Switzerland).

The camera was his constant companion for over 30 years. While in the beginning the focus was simply on documenting a journey, since 2004 it has been a professional tool.

The intensive and authentic presentation of high alpine tours was the focus of his work. Dozens of journeys took him to almost all the mountains of the world, including those in Patagonia and Tierra del Fuego, Scotland, Georgia, Pakistan, Nepal and the USA. He was particularly taken with the combination of mountains and sea. It is therefore not surprising that Patagonia, where he traveled for more than five years, and Scotland were among his absolute favourite destinations. The result is reflected in around 10 illustrated books, various guides and textbooks, calendars as well as countless publications in international and German language magazines (including Adventure & Travel, Alpine, Alpinist, Mountains, Mountaineer, Climb, Fit for Fun, GEO, GEO Saison, Land of the Mountains, Climbing, Mare, Outdoor, Sailing, Der Spiegel, Vertical, Yacht etc.).

www.ralf-gantzhorn.de

Standard edition

First published 2020 by Rainer Petek

Produced by Indie Experts P/L, Australasia
indieexperts.com.au

Cover design by Indie Experts
Edited by Sabine Borgis
Typeset in 9/14 pt LTC Caslon Pro by Post Pre-press Group,
Brisbane

 A catalogue record for this
book is available from the
National Library of Australia

ISBN 978-0-6489809-8-8

Disclaimer
Any information in the book is purely the opinion of the
author based on personal experience and should not be
taken as business or legal advice. All material is provided for
educational purposes only. We recommend to always seek the
advice of a qualified professional before making any decision
regarding personal and business needs.

Photography credits
*(Left to right, top to bottom where more than one image appears
on a page)*: Cover Bernd Ritschel; inside front and back cover
Bernd Ritschel; Page ii Bernd Ritschel; iv–v Bernd Ritschel;
vi–vii Ralf Gantzhorn; viii–1, 2 Ralf Gantzhorn; 5 Archive
Rainer Petek; 6–7, 9 Bernd Ritschel; 10 Ralf Gantzhorn;
12 Bernd Ritschel; 15 Archive Rainer Petek; 17 & 19 Bernd
Ritschel; 21 Ralf Gantzhorn; 23 Archive Rainer Petek;
24, 27 & 28 Ralf Gantzhorn; 31 & 33 Archive Rainer
Petek; 34, 36-37, 39 & 40-41 Ralf Gantzhorn; 42 Archive
Rainer Petek; 45 Bernd Ritschel; 46-47 Ralf Gantzhorn;
48 & 51 Bernd Ritschel; 53 & 54 Archive Rainer Petek;
56 Ralf Gantzhorn; 59 Bernd Ritschel; 61 Archive Rainer
Petek; 62-63 Bernd Ritschel; 65 Ralf Gantzhorn; 68 Archive
Rainer Petek; 71 & 72 Bernd Ritschel; 75, 77 & 78 Archive
Rainer Petek; 80-81 & 83 Ralf Gantzhorn; 85 Archive
Rainer Petek; 86 Bernd Ritschel; 88 Archive Rainer Petek;
89 Bernd Ritschel; 90-91 Ralf Gantzhorn; 92 Bernd Ritschel;
95, 97 & 99 Archive Rainer Petek; 101 Ralf Gantzhorn;
103 Bernd Ritschel, Archive Rainer Petek; 104 Bernd
Ritschel; 107 Archive Rainer Petek; 108, 110 & 113 Ralf
Gantzhorn; 114-115 Archive Rainer Petek; 117 Bernd
Ritschel; 119 Archive Rainer Petek; 120 Bernd Maierhofer;
122 Bernd Ritschel; 124, 127 & 129 Archive Rainer Petek;
132-133 Bernd Ritschel; 135, 136, 138 & 141 Archive
Rainer Petek; 142, 144, 146-147 & 149 Ralf Gantzhorn;
151 Archive Rainer Petek; 152 Ralf Gantzhorn;
155, 156 & 159 Archive Rainer Petek; 160-161 Ralf
Gantzhorn; 163 Bernd Ritschel; 165 Archive Rainer
Petek; 166-167 & 168 Bernd Ritschel; 171 Archive Rainer
Petek; 173 Ralf Gantzhorn; 174, 177 & 179 Archive
Rainer Petek; 180-181, 182 & 186-187 Ralf Gantzhorn;
189 Bernd Ritschel; 191, 193, 194 & 195 Archive Rainer
Petek; 196 Bernd Ritschel; 199 Archive Rainer Petek;
201 Ralf Gantzhorn; 203 Archive Rainer Petek; 204 Ralf
Gantzhorn; 206 Archive Rainer Petek; 207, 208 & 211 Bernd
Ritschel; 213, 214, 217, 220-221 & 223 Ralf Gantzhorn;
224 Archive Rainer Petek; 226-227 Ralf Gantzhorn;
229, 230 & 233 Archive Rainer Petek; 234 Bernd
Ritschel; 237 Richard Pichler, Archive Rainer Petek;
238 & 240 Archive Rainer Petek; 243 SwarmVision Suzan
Briganti; 245 Richard Pichler; 246-247, 249 Archive
Rainer Petek; 250-251 Bernd Ritschel; 252-253 Ralf
Gantzhorn; 254, 257, 258 & 260-261 Bernd Ritschel;
262-263 Ralf Gantzhorn.

Um Zugang zu den Bonusseiten und Rainer´s persönlichem Geschenk an Sie zu erhalten, scannen Sie bitte den QR-Code ein oder folgen Sie dem Link: https://rainerpetek.de/bonus-pages

To access bonus pages and Rainer's personal gift to you, please scan the QR-code or follow the link: https://rainerpetek.com/bonus-pages

Lightning Source UK Ltd.
Milton Keynes UK
UKHW020922101220
374906UK00002B/97